Über dieses Buch   Die vorliegende Sammlung von Liedern und Texten doku-
mentiert die antimilitaristische Bewegung der letzten sechzig Jahre. Sie enthält
Materialien zur »Nie-wieder-Krieg-Bewegung« der zwanziger Jahre, der Pazifis-
mus- und Antiatomtod-Kampagne der fünfziger Jahre, der Ostermarschbewegung
der sechziger Jahre und der neuen Friedensbewegung. Aussagen von Zeitgenossen
und Bilddokumente sollen dazu beitragen, den jeweiligen gesellschaftlichen Kon-
text zu erhellen.

Die Herausgeber   Alexander Lipping und Björn Grabendorff beschäftigen sich
seit längerer Zeit als Theaterautoren mit der Geschichte der Widerstandsbewe-
gungen und demokratischen Traditionen in Deutschland. Produktionen u.a.: » . . .
und bewahre uns Gott in Deutschland vor irgendeiner Revolution« (Frankfurt
1978), »Der Schoß wird befruchtet« (München 1979), »Der Deutsche macht in
Güte die Revolution« (Frankfurt 1981), »Treu dem Verführer« (Frankfurt 1981).
Alexander Lipping ist zudem als Regisseur und Interpret von Lieder- und Textpro-
grammen tätig.
Im Fischer Taschenbuch Verlag liegt außerdem vor: »1848 – Der Deutsche macht
in Güte die Revolution« (Bd. 2978).

Friedenslieder

Texte und Noten
mit Begleit-Akkorden

Herausgegeben von Alexander Lipping
und Björn Grabendorff

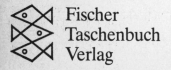

Fischer
Taschenbuch
Verlag

Für die Unterstützung der Arbeit an diesem Buch danken wir:

Wolfgang Breckheimer
Ruth Eichhorn
Dietrich Lohff
Ilse Mateiko
Lutz Weißenstein

Originalausgabe
Fischer Taschenbuch Verlag
November 1982

Umschlagentwurf: Jan Buchholz/Reni Hinsch

Fischer Taschenbuch Verlag GmbH, Frankfurt am Main
© Fischer Taschenbuch Verlag GmbH, Frankfurt am Main 1982
Notengrafik: Satz + Grafik, Planegg
Satz: Fotosatz Philipp Hümmer, Waldbüttelbrunn
Druck und Bindung: Clausen & Bosse, Leck
Printed in Germany
980-ISBN-3-596-22981-2

Inhalt

Vorwort

Samstag vormittag, der 10. Oktober 1981, so gegen halb zehn. Wir sind auf dem Wege vom Bahnhof Bonn-Beuel zu einer Sammelstelle für die große Friedensdemonstration. Noch bevor wir auf dem vorgesehenen Platz ankommen, ist alles verstopft. Nur mühsam und im Schneckentempo bewegen wir uns vorwärts. Immer wieder staut sich der Zug, der sich erst zur Demonstration zusammenfinden will. Flugblattverteiler der verschiedensten Organisationen, Gruppen und Fraktionen schieben sich durch die dichtgedrängt stehenden Menschen, verteilen ihre Einschätzungen und Parolen. Allzuviel Erfolg haben sie nicht bei den Wartenden. Es scheint, als brauche keiner Argumentationshilfen. Eine Organisation versucht, Umhängeschilder zu verteilen; auch dies mit mäßiger Resonanz. »Keine neuen Atomraketen in Westeuropa«, liest einer der Jugendzentrumsleute, mit denen ich unterwegs bin, »soll das heißen, daß die alten o.k. sind?« Er streicht mit einem Filzstift das Wort »neuen« aus. Mir fällt unwillkürlich der wahnsinnige Spruch ein, den ich in Frankfurt an einer Wand gelesen habe: »Keine neuen Atomwaffen, bevor die alten aufgebraucht sind!«

Plötzlich stehen neben uns fünf Männer, alle so zwischen 50 und 60, mit Gitarre und Banjo. Sie formieren sich und beginnen zu singen. Und ich muß mich zusammenreißen, um nicht vor Überraschung und Freude loszuheulen. »Unser Marsch ist eine gute Sache«, herrje, wie lange habe ich dieses Lied nicht mehr öffentlich gehört! ». . . unsre Hände sind leer, die Vernunft ist das Gewehr, und die Leute verstehn unsre Sprache«, falle ich in den Gesang mit ein, ein wenig belächelt von meinen umstehenden Freunden. Aber schon beim zweiten Refrain: »Marschieren wir gegen den Osten, Nein! Marschieren wir gegen den Westen, Nein!« singen sie lauthals mit. Vor vierzehn Jahren hatte ich dieses Lied von Hannes Stütz zum letzten Mal auf der Straße gesungen, bei der Ostermarschdemonstration in Heidelberg. Die neben mir, damals im Säuglings- oder Vorschulalter, hatten sicherlich größtenteils noch nie etwas von den Ostermärschen gehört, von dieser letzten großen Friedenskampagne. Fast alle im Umkreis singen jetzt mit, und die Barden mit ihren Instrumenten haben sichtlich Mühe, ihre Rührung zu verbergen.

Völlig überraschend, eigentlich aus dem Nichts heraus, gibt es wieder eine breite Bewegung, die um die Herstellung oder Sicherung des Friedens kämpft. Der Evangelische Kirchentag in Hamburg und die Bonner Demonstration zeigten deutlich, daß sich diese Bewegung entschieden von

Friedensdemonstration in Bonn am 10. 10. 81. Foto: dpa, Frankfurt/Main

den etablierten Parteien abgrenzt, ja, daß sogar Mitglieder dieser Parteien sich in eindeutigen Gegensatz zu deren erklärter Politik stellen. Das Mißtrauen gegen die herrschende Politik ist das sichtbarste Gemeinsame der neuen Friedensbewegung. Während jeder politischen oder religiösen Äußerung, sei sie noch so obskur, mit bewunderungswürdiger Toleranz begegnet wird, stoßen die Friedensbekundungen der Bonner Politiker auf eisige Ablehnung, auf offenen Hohn oder gehen gar im Gelächter der Angesprochenen unter. Gerade die jungen Menschen artikulieren massiv, daß ihre Angst vor der offiziellen Politik um einiges größer ist als die Angst vor äußerer Bedrohung.

Dieser Entwicklung versuchen die etablierten Parteien dadurch zu begegnen, daß sie mit beachtlicher Penetranz das Wort »Frieden« für sich reklamieren. Kaum ein Bonner Politiker unterläßt es, sich in Reden, Erklärungen oder Zeitungsartikeln als den eigentlichen »Friedenskämpfer« zu benennen, und in endlosen, immer wiederkehrenden Fernsehdiskussionen und Zeitungsinterviews wird »Frieden« in einer erschreckenden Inhaltslosigkeit zerredet, so daß die Gefahr besteht, daß dieses Wort zur nichtssagenden Worthülle verkommt.

Beim Zusammentragen der Materialien für dieses Buch besuchten wir auch einige »Veteranen« der »Kampagne gegen den Atomtod«, um sie über den Ostermarsch und ihre Einschätzung, warum diese große – fast zehn Jahre dauernde – Bewegung 1968 so sang- und klanglos einschlafen konnte, zu befragen. Immer wieder hörten wir, die Auseinandersetzungen um die Gewaltfrage seien der Grund gewesen, warum sich der größere Teil der Ostermarschierer zurückgezogen hätte. Dies scheint aus der heutigen Sicht erst einmal ganz logisch zu sein, denn die späteren 60er Jahre waren die Zeit der großen Studentendemonstrationen, die Zeit der Außerparlamentarischen Opposition. Die Diskussion um »Gewalt gegen Sachen« oder »Gewalt gegen Personen« wurde damals auf das heftigste geführt. Die Radikalisierung der Aktionsformen war ein Ausdruck des Entsetzens über die Greuel des Vietnamkrieges, dessen blutige Realität jeden Abend über die Fernsehschirme flimmerte.

Die Auseinandersetzung mit der Gewaltfrage zeigt das grundlegende Dilemma auf, in der jede Friedensbewegung steckt. Es ist schwer vorstellbar, über längere Zeit hinweg die verschiedensten politischen Strömungen auf einer Plattform zu organisieren, die lediglich auf einem Minimalkonsens gemeinsamer Absichten basiert und von der alle kontroversen Vorstellungen ausgegrenzt sind. So mag der evangelische Christ sich eine gewaltfreie Welt vorstellen, die durch den gemeinsamen Konsens entsteht, auf die Anwendung von Gewalt weltweit zu verzichten. Der Spruch »Stell dir vor, es gibt Krieg und keiner geht hin« deutet auf solch eine Haltung. Nur – allein durch die Formulierung eines solchen Konsenses ist er noch nicht durchgesetzt. Und es ist von daher kein Zufall, daß die Ostermarschbewegung mit ihrem absoluten Pazifismus zur Zeit der Notstandsgesetzgebung zerfiel. Denn gerade die Notstandsgesetze machten einem wesentlichen Teil der Ostermarschierer klar, daß die herrschenden Eliten ganz und gar nicht bereit sein würden, ihre Machtpolitik gewaltlos aufzugeben. Im Gegenteil: Die Bildung einer Großen Koalition von CDU/CSU und SPD führte dazu, daß selbst linke Gewerkschafter und Sozialdemokraten ihren Widerstand gegen die Notstandsgesetze einstellten. So mußte sich die Friedensbewegung notgedrungen in eine absolut gewaltfreie und eine radikalere, die den Kampf für eine bessere Welt wörtlich zu nehmen begann, spalten.

Auch die Pazifismusbewegung der 20er Jahre stand in diesem Widerspruch. Es gab eine kleine exklusive bürgerliche Pazifismusströmung, die jede Vorstellung von Gewalt ablehnte, während ein großer Teil der Arbeiterbewegung sich den Kampf gegen Militarismus und für eine friedliche Welt nur in einer gewaltsamen Auseinandersetzung mit den herrschenden gesellschaftlichen Bedingungen vorstellen konnte. »Ist die letzte Schlacht geschlagen, Waffen aus der Hand«, war für sie die einzig denkbare Parole. »Krieg dem Krieg, unser Sieg macht der Not ein End«, sangen die »Roten Raketen« und dokumentierten damit die verbreitete Vorstellung, erst der bewaffnete Aufstand könnte Lebensbedingungen schaffen, die den Frieden endgültig sicherten.

Die heutige Friedensbewegung wird um die Diskussion nicht herumkommen, mit welchen Mitteln sie die Bedingungen verändern will, die einem friedlichen Zusammenleben entgegenstehen. Gerade die Inflation, die das Wort »Frieden« heute erlebt, sollte uns alle vorsichtig stimmen. Jeder Politiker, von rechts bis links, jeder Rüstungsindustrielle und jeder General nimmt für sich in Anspruch, den Frieden zu sichern. Noch vor wenigen Jahren mokierte man sich darüber, daß die Nationale Volksarmee der DDR sich als »Friedensarmee« bezeichnet. Nun hat die Bundeswehr diesen Begriff für sich übernommen und nennt den morgendlichen Gang zur Kaserne einen Friedensmarsch. Und gerade dies macht uns Angst. »Wenn die Oberen vom Frieden reden, weiß das gemeine Volk, daß es Krieg gibt. Wenn die Oberen den Krieg verfluchen, sind die Gestellungsbefehle schon ausgeschrieben«, sagte Bertolt Brecht. In dieser Situation kann es sich die Friedensbewegung nicht leisten, eine neue Ausgrenzungsdiskussion zu führen. Die riesige Demonstration in Bonn, zu der sich 300 000 Menschen zusammenfanden, die Widerstandsbewegung gegen Atomkraftwerke, gegen Waffenlager, gegen die Startbahn West, die Aktionen von Bürgerintiativen gegen Mißstände überall in diesem Land zeigen eine wachsende Bereitschaft, aktiv für eine lebenswerte Welt einzutreten, der nur dann der Erfolg versagt sein wird, wenn wir nicht bereit sind, aus den Fehlern früherer Bewegungen zu lernen.

Der heutigen Friedensbewegung wird von Politikern und Journalisten ihre Emotionalität vorgeworfen. Gerade diese Emotionalität ist es jedoch, die uns hoffen läßt. Die Bereitschaft, Ängste offen einzugestehen und sie nicht hinter politischer Rationalität zu verstecken, macht diese Bewegung so menschlich. Die Lieder, die wir in dieser Sammlung vorstellen, sind Ausdruck für die Gefühle, die die Menschen im jeweiligen Zeitkontext bewegten. So ist zum Beispiel an Erich Mühsam der Widerspruch zwischen seinen pazifistischen Vorstellungen und den realpolitischen Verhältnissen, die ihn zum aktiven Kampf veranlaßt haben, deutlich sichtbar. Den Ostermarschliedern ist ihre pazifistische Grundhaltung und die Angst vor der Bedrohung durch Atomwaffen als gemeinsames Merkmal eigen.

Wir haben der vorliegenden Liedersammlung einige Texte zum zeitgeschichtlichen Hintergrund beigefügt, um das Verständnis der Lieder ein wenig zu erleichtern. Dazu sollen auch die Anmerkungen zu Beginn der Kapitel dienen, die natürlich nur einen Bruchteil der geschichtlichen Zusammenhänge benennen können. Der Vorspann vor dem ersten Kapitel soll den Benutzern des Buches etwas von der Betroffenheit der Herausgeber darüber vermitteln, wie schnell selbst eine dem Pazifismus verpflichtete Arbeiterbewegung bereit war, das staatlich oktroyierte Feindbild kritiklos zu übernehmen.

Alexander Lipping
Björn Grabendorff

„Na, Bebel, jetzt lernen wir uns doch noch richtig kennen!"

Quelle: »Simplicissimus«, 25. 8. 1914. Karikatur von Th. Th. Heine
© VG Bild-Kunst, Bonn

»Während vor 1914 ein Teil der politischen Parteien dem Staat gegenüber eine kritische Haltung eingenommen hatte, so vor allem die Sozialdemokraten sowie zeitweise das Zentrum und der Freisinn, war es jetzt so, daß die Regierungsparteien der Monarchie, nunmehr die nationale Opposition in der Republik, auf dem Gebiete des Heerwesens und des Einflusses des Militärapparates nicht über mangelnde Geldmittel dafür zu klagen hatte, während die frühere Opposition, nunmehr zur Regierung geworden, ihre Liebe zur deutschen Wehrhaftigkeit entdeckte und die Sozialdemokraten, selbst dann, wenn sie nicht in der Regierung waren, immerhin es für nötig hielten, die Verantwortung für den Wehrapparat der Republik mitzutragen, was sie ihrer positiven Einstellung zur Republik schuldig zu sein glaubten. So kam es, daß der Militarismus, trotz aller Einschränkungen durch den Friedensvertrag, in der Weimarer Republik politisch auf einer weit breiteren Grundlage stand als jemals zur Zeit der Hohenzollern. Man könnte vielleicht hier hinzufügen, daß einer der Gründe für den Zusammenbruch der von eh und je schwächlichen deutschen Demokratie darin zu suchen ist, daß die Millionen damals noch aufrichtig pazifistischer deutscher Wähler, die aus wirtschaftlichen oder weltanschaulichen Gründen Zentrum, Demokratische Partei und SPD wählten, zumindest in ihren kriegsgegnerischen Erwartungen von allen

diesen Parteien betrogen worden sind; nichts aber ist dem Parlamentarismus so gefährlich wie eine Enttäuschung breiter Wählermassen, weil dadurch nicht nur deren Vertrauen in die eine oder andere politische Partei, sondern in die ganze Einrichtung des Parlaments erschüttert wird . . .
Diese ›Militarisierung‹ der wichtigsten republikanischen Parteien erschwerte natürlich die Arbeit der Friedensvereine und blieb auch sonst nicht ohne Folge auf die geistige Einstellung des deutschen Volkes. Mancher Keim solcher Gewächse, wie sie nach 1933 sichtbar wurden, ist in den Jahren 1919/1920 gepflanzt worden.«
(Richard Barkeley, Die deutsche Friedensbewegung 1870–1933, Hamburg 1948)

Auf, auf zum Kampf

Auf, auf zum Kampf, zum Kampf sind wir geboren,
Auf, auf zum Kampf fürs teure Vaterland,
Dem Kaiser Wilhelm haben wir's geschworen,
Dem Kaiser Wilhelm reichen wir die Hand.

Was macht der Sohn der Mutter so viel Schmerzen,
Bis daß sie ihn zum Kampfe auferzog.
Denn Liebe trägt sie stets in ihrem Herzen,
Drum Sohn, vergiß es deiner Mutter nicht.

Der Vater weint, er weint des Sohnes wegen,
Weil er zum letztenmal vielleicht ihn sieht,
Reicht ihm die Hand, gibt ihm den letzten Segen,
Wer weiß, ob wir einander wiedersehn.

Das Mädchen weint, es weint schon viele Jahre
Um den Geliebten manche Viertelstund.
Den sie geliebt, er schlummert längst im Grabe,
Wie man vernahm, vom Feinde schwer verwund't.

Da steht ein Mann, so fest wie eine Eiche,
Er hat schon manchen Sturm erlebt.
Vielleicht ist er schon morgen eine Leiche,
Wie es so manchem seiner Brüder geht.

Drum achtet nicht den Donner der Kanonen,
Wenn sie auch gleich zum Untergange drohn.
Drum wollen wir es nochmals wiederholen:
Der Tod im Feld ist doch der schönste Tod.
(anonym, aus: Das deutsche Soldatenlied, wie es heute gesungen wird. Auswahl von Klabund. München o.J.)

Zieht der Deutsche in den Krieg

Zieht der Deutsche in den Krieg,
Winkt ihm Ehre, winkt ihm Sieg.
   Hau, hau, hau sie nieder!
   Kling, kling, trinket wieder!

Jeder Feind und jedes Heer
Findet tapfre Gegenwehr.
   Hau, hau hau sie nieder!
   Kling, klang, trinket wieder!

Treu dem Heer und seinem Gott
Stürzt der Deutsche in den Tod.
   Hau, hau, hau sie nieder!
   Kling, klang, trinket wieder!

In dem Feuer in der Schlacht
Steht der Deutsche Tag und Nacht.
   Hau, hau, hau sie nieder!
   Kling, klang, trinket wieder!

*(anonym, aus: Das deutsche Soldatenlied, wie es heute gesungen wird,
Auswahl von Klabund, München o.J.)*

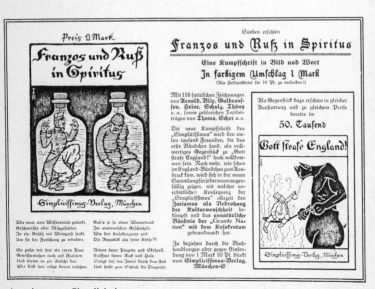

Anzeige aus »Simplicissimus«

»Die drangsalierten, gehudelten und gebüttelten Sozialdemokraten treten wie ein Mann auf zum Schutz der Heimat und die deutschen Gewerkschaftszentralen berichten übereinstimmend, daß ihre besten Leute sich bei der Fahne befinden. Sogar Unternehmerblätter melden diese Tatsache. Wir sind aber der Überzeugung, daß unsere geschulten Gewerkschafter noch mehr können als ›dreinhauen‹. Dieses erfordert eine solche Disziplin und Klarheit des Blickes auch beim einzelnen Mann, daß sich in diesem Krieg wirklich zeigen wird, wie erzieherisch die Gewerkschaften gewirkt haben. Der russische und französische Soldat mögen Wunder an Tapferkeit vollbringen, in den der kühlen, ruhigen Überlegung wird ihnen der deutsche Gewerkschafter über sein. Wenn es also anno 1866 hieß, der Vormarsch der preußischen Truppen sei ein Sieg des Schulmeisters gewesen, so wird man diesmal von einem Sieg des Gewerkschaftsbeamten reden können.«
(Frankfurter Volksstimme, 18. August 1914, gekürzt)

Helft uns siegen!

zeichnet
die
Kriegsanleihe

Quelle: SPD-Zeitung »Der wahre Jakob«

Krieg dem Krieg

Eines der traurigsten Kapitel der deutschen Arbeiterbewegung ist wohl ihr Verhalten zu Beginn des Ersten Weltkrieges. Hatte noch im Juli 1914 die SPD zu Demonstrationen gegen die drohende Kriegsgefahr aufgerufen und riesige Resonanz gefunden – in Berlin allein demonstrierten 300 000 Menschen –, so war die Reichstagsfraktion dieser Partei schon im August 1914 bereit, einstimmig die Kriegskredite zu bewilligen, ohne die das Kaiserreich schwerlich Krieg hätte führen können. Im Dezember 1914 stimmte der sozialdemokratische Abgeordnete Karl Liebknecht gegen die Kriegskredite, und erst im Jahr darauf setzte bei einigen Abgeordneten ein Denkprozeß ein, der sich an der antimilitaristischen Tradition der Arbeiterbewegung orientierte. Die Mehrheit der Partei blieb jedoch bei ihrer Kriegsbewilligungspolitik und wurde darin von einem großen Teil ihrer Mitglieder durchaus unterstützt. So mußte es notwendigerweise zu einer Spaltung der Partei kommen, und die oppositionellen Kräfte gründeten am 1. Januar 1916 den »Spartakusbund«; später, im April 1917 dann die USPD.

Erst kurz vor Kriegsende kam es zu Streiks von Munitionsarbeitern und Hungerrevolten, die von der Forderung nach Beendigung des Krieges begleitet waren. Dieser Stimmung konnte sich auch die SPD nicht entziehen, zumal ein Teil der kaiserlichen Armee offen revoltierte. Zuerst in Kiel, dann überall im Deutschen Reich organisierten sich Arbeiter und Soldaten nach rätedemokratischem Muster und erzwangen den Sturz des Kaiserreiches. Am 9. November 1918 wurde die Republik ausgerufen.

Die organisatorische Spaltung der Arbeiterbewegung – inzwischen gründete sich auch die KPD – hatte für den antimilitaristischen Kampf in der jungen Republik verheerende Folgen. Die Sozialdemokraten – nunmehr in der Regierungsverantwortung – arbeiteten eng mit der Generalität der Reichswehr zusammen. Eine wirkungsvolle Friedensbewegung konnte sich daher nur links von ihnen entwickeln. Soldaten wurden eingesetzt, um Arbeiteraufstände niederzuschlagen, und sehr bald verband sich der Widerstand gegen den Militarismus mit dem Kampf gegen die bestehende Ordnung.

Dies drückt sich auch im politischen Liedgut der Weimarer Republik aus. »Frieden« muß »erkämpft« werden, und da die gesellschaftlichen Strukturen nicht gewaltlos verändert werden können, artikuliert sich auch der Widerstand gegen sie zunehmend militanter.

Gesang der Intellektuellen

Rr-r-revolution
Macht man nur mit Liebe.
Weist den Hetzer von der Schwelle.
Nur der Intellektuelle
Kennt das Weltgetriebe.

Unsre Überlegenheit
Wird euch trefflich führen.
Wählt nur uns in eure Räte,
Dann wird Liebe früh und späte
Eure Seelen rühren.

Lieb den Bürger, Proletar,
Denn dein Bruder ist er.
Und verdienst du ihm Millionen,
Mag dich das Bewußtsein lohnen:
Ihr seid ja Geschwister.

Sammelt euch zum Klassenkampf
Hinter unserm Schilde.
Läßt der Bourgeois euch erhängen,
Mit der Künste Zauberklängen
Stimmen wir ihn milde.

Aber kommt's zum Bürgerkrieg –
Ja kein Blutvergießen!
Auf den Kolben jeder Flinte
Schreibt mit roter Liebestinte:
Brüder, nur nicht schießen!

Folgt dem geistigen Führerrat
Zu des Werkes Krönung.
Einerseits die rote Fahne,
Andrerseits die Buttersahne
Lieblicher Versöhnung.

Rr-r-revolution
Macht die Herzen schwellen.
Laßt die Freiheit uns errichten
Mit den lyrischen Gedichten
Der Intellektuellen.

Text: Erich Mühsam
Melodie: »Gaudeamus igitur«

»Für heute und morgen muß nun vor allem die Folgerung aus der Tatsache gezogen werden, daß die Kapitalisten nicht Krieg führen können, wenn die Arbeiter ihnen nicht die Kriegsmittel herstellen würden. Wir müssen uns alle weigern, irgendwie an der Vorbereitung des Krieges mitzuwirken. Kein Arbeiter darf Stellung in einem Rüstungsbetrieb annehmen oder behalten, wenn er irgendwelche andere Arbeit finden kann. Aber dieses ›wenn‹ ist schon wieder feig und bequem. Er müßte lieber verrecken wollen, als solche Arbeit zu machen. Doch rechnen wir einmal ›real-politisch‹ mit den ›Menschen, wie sie sind‹. – Es muß, etwa gemeinsam von den Gewerkschaften, dem Friedenskartell und anderen Organisationen ein Riesenfonds geschaffen werden, aus dem, möglichst durch produktive Arbeitsgelegenheit, alle unterstützt werden, die ihre Stellung in der Rüstungsindustrie aufgegeben haben.«

Dies schrieb Josef Weisbart 1929 in seiner Broschüre: »Die Forderung der Stunde: Den Giftkrieg verhindern!« Im Frühjahr 1931 wurde ein solcher Fonds in Schweden für Munitionsarbeiter gegründet, die ihren Lebensunterhalt nicht mehr durch die Erzeugung von Munition verdienen wollten.

Der Revoluzzer

1. War ein - mal ein Re - vo - luz - zer, im Zi - vil - stand Lam-pen - put - zer; ging im Re - vo - luz - zer - schritt mit den Re - vo - luz - zern mit. 2. Und er schrie: „Ich re - vo - lüz - ze!" Und die Re - vo - luz - zer - müt - ze schob er auf das lin - ke Ohr, kam sich höchst ge - fähr - lich vor. 3. Doch die Re - vo - luz - zer schrit - ten mit - ten in der Stras-sen Mit - ten, wo er sonsten un - ver - drutzt, wo er son - sten un - ver - drutzt al - le Gas - la - ter - nen putzt, putzt, putzt.

War einmal ein Revoluzzer,
Im Zivilstand Lampenputzer;
Ging im Revoluzzerschritt
Mit den Revoluzzern mit.

Und er schrie: »Ich revolüzze!«
Und die Revoluzzermütze
Schob er auf das linke Ohr,
Kam sich höchst gefährlich vor.

Doch die Revoluzzer schritten
Mitten in der Straßen Mitten,
Wo er sonsten unverdrutzt
Alle Gaslaternen putzt.

Sie vom Boden zu entfernen,
Rupfte man die Gaslaternen
Aus dem Straßenplaster aus,
Zwecks des Barrikadenbaus.

Aber unser Revoluzzer
Schrie: »Ich bin der Lampenputzer
Dieses guten Leuchtelichts.
Bitte, bitte, tut ihm nichts!

Wenn wir ihm das Licht ausdrehen,
Kann kein Bürger nichts mehr sehen.
Laßt die Lampen stehn, ich bitt! –
Denn sonst spiel ich nicht mehr mit!«

Doch die Revoluzzer lachten,
Und die Gaslaternen krachten,
Und der Lampenputzer schlich
Fort und weinte bitterlich.

Dann ist er zu Haus geblieben
Und hat dort ein Buch geschrieben:
Nämlich, wie man revoluzzt
Und dabei noch Lampen putzt.

*Text: Erich Mühsam (Er widmete dieses Lied 1907
der deutschen Sozialdemokratie)
Melodie: Bela Reinitz, hier in der Fassung von Joe Mateiko*

Die Ballade des Vergessens

In den Lüf-ten schrei-en die Gei-er schon, lü-stern nach neu-em Aa-se. Es hebt so mancher die Lei-er schon beim frei-bier-ge-füll-ten Gla-se, zu schla-gen sieg-reich den alt bö-sen Feind, tät er den Hum-pen pres-sen... Habt ihr die Trä-nen, die ihr ge-weint, ver-ges-sen, ver-ges-sen, ver-ges-sen?

In den Lüften schreien die Geier schon,
Lüstern nach neuem Aase.
Es hebt so mancher die Leier schon
Beim freibiergefüllten Glase,
Zu schlagen siegreich den alt bösen Feind,
Tät er den Humpen pressen ...
Habt ihr die Tränen, die ihr geweint,
Vergessen, vergessen, vergessen?

Habt ihr vergessen, was man euch tat,
Des Mordes Dengeln und Mähen?
Es läßt sich bei Gott der Geschichte Rad
Beim Teufel nicht rückwärts drehen.

Der Feldherr, der Krieg und Nerven verlor,
Er trägt noch immer die Tressen.
Seine Niederlage erstrahlt in Glor
Und Glanz: Ihr habt sie vergessen.

Vergaßt ihr die gute alte Zeit,
Die schlechteste je im Lande?
Euer Herrscher hieß Narr, seine Tochter Leid,
Die Hofherren Feigheit und Schande.
Er führte euch in den Untergang
Mit heiteren Mienen, mit kessen.
Längst habt ihr's bei Wein, Weib und Gesang
Vergessen, vergessen, vergessen.

Wir haben Gott und Vaterland
Mit geifernden Mäulern geschändet,
Wir haben mit unserer dreckigen Hand
Hemd und Meinung gewendet.
Es galt kein Wort mehr ehrlich und klar,
Nur Lügen unermessen . . .
Wir hatten die Wahrheit so ganz und gar
Vergessen, vergessen, vergessen.

Kriegsheimkehrer. Quelle: Montage: John Heartfield.
Hrsg. E. Siepmann. Berlin 1977

Millionen krepierten in diesem Krieg,
Den nur ein paar Dutzend gewannen.
Sie schlichen nach ihrem teuflischen Sieg
Mit vollen Säcken von dannen.
Im Hauptquartier bei Wein und Sekt
Tat mancher sein Liebchen pressen.
An der Front lag der Kerl, verlaust und verdreckt
Und vergessen, vergessen, vergessen.

Es blühte noch nach dem Kriege der Mord,
Es war eine Lust, zu knallen.
Es zeigte in diesem traurigen Sport
Sich Deutschland über allen.
Ein jeder Schurke hielt Gericht,
Die Erde mit Blut zu nässen,
Deutschland, du sollst die Ermordeten nicht
Und nicht die Möder vergessen!

Text: Klabund
Melodie: Hanns Eisler, Arrangement Alexander Lipping

»Die Hoffnung der deutschen Pazifisten, daß mit dem Zusammenbruch des alten Systems auch für sie eine Zeit ruhiger und ungestörter Arbeit anbrechen würde, hat sich nicht erfüllt. Schlimmer ist, daß die Behörden, die zivilen sowohl wie die militärischen, in offenbarer Mißachtung der demokratischen Verfassung nicht im entferntesten daran denken, Gewalttaten zu sühnen oder ihnen auch nur vorzubeugen . . .
Bereits im Januar 1919 war der Sekretär des Bundes, Otto Lehmann-Rußbüldt, wiederholt Gewalttätigkeiten ausgesetzt. Militärpersonen drangen zur Nachtzeit in seine Wohnung, raubten wesentliche Bestandteile seiner Korrespondenz und schleppten ihn zur Wache, wo er ohne Entschuldigung entlassen wurde. Beschwerden . . . blieben erfolglos . . .
Einige Tage später wurde das Büro des Bundes von Soldaten heimgesucht, die Akten mitnahmen und es versiegelten. Beschwerden blieben erfolglos . . . Eine Versammlungssprengung folgte der andern . . . In einigen Fällen, wie in der großen Versammlung der ›Deutschen Liga für Völkerbund‹, in der Prof. Götz und Reichsminister Erzberger sprechen sollten, war die herbeigerufene Reichswehr weder fähig noch willens, zum Schutz der Bedrohten gegen die Ruhestörer einzugreifen. Dasselbe Bild wiederholte sich in einer Reihe von deutschen Städten . . . So wurden in Hamburg Alexander Moissi und Sanitätsrat Dr. Magnus Hirschfeld mit Knütteln bedroht und mit Stinkbomben bedacht . . . Der krasseste Vorfall dieser Art trug sich am 20. Februar 1920 in . . . Charlottenburg . . . zu.

Nachdem der Redner des Abends, Helmut v. Gerlach, seine Einleitungsworte gesagt hatte, wurde ihm das Reden durch einen Schwall von Zwischenrufen unmöglich gemacht. Uniformierte Gestalten und Baltikumer ... umringten den Redner, beschimpften und mißhandelten ihn schwer ... Wie er wurden auch der Vorsitzende der Versammlung, Herr Dr. Gumbel, sowie eine Reihe von Versammlungsteilnehmern blutig geschlagen ... Am 21. März d.J. wurde eines unserer tätigsten Bundesmitglieder, Alexander Futran, in Köpenick von einem Standgericht zum Tode verurteilt und unmittelbar darauf erschossen (Zeit des Kapp-Putsches, d.V.). Natürlich sah das Standgericht in ihm einen ›bolschewistischen‹ Führer ... Von einem Vertreter des Reichswehrministeriums wurde zugegeben, daß die Erschießung zu Unrecht erfolgt sei ... Am 22. Mai dieses Jahres wurde Hans Paasche auf seinem Gute Waldfrieden ›auf der Flucht‹ erschossen. Die näheren Umstände sind bis heute noch unbekannt, da den Berichten der exekutierenden militärischen Formation irgendwelcher Wert nicht zuzubilligen ist. Man wirft Paasche vor, er sollte Kommunist gewesen sein und auf seinem Gute Waffen verborgen gehalten haben. Daß das nicht der Fall gewesen ist, haben auch die untersuchenden Behörden zugeben müssen ... Man möge daraus schließen, was wir Pazifisten in Deutschland in Zukunft zu erwarten haben ... Gehen solche Schläge gegen die deutschen Pazifisten weiter, so muß das hemmend auf die Zukunft des Pazifismus wirken.«
(Denkschrift des Bundes Neues Vaterland an den 9. Pazifisten-Kongreß zu Braunschweig, 1920)

Lieb Vaterland, magst ruhig sein

George Grosz

Brüder, seht, die rote Fahne

Brüder, seht, die rote Fahne weht euch kühn voran. Um der Frei-heit heil-ges Ban-ner schart euch Mann für Mann! Hal-tet stand, wenn Fein-de dro-hen! Schaut das Mor-gen-rot! Vor-wärts! ist die gro-ße Lo-sung, Frei-heit o-der Tod!

Brüder, seht, die rote Fahne
Weht euch kühn voran.
Um der Freiheit heilges Banner
Schart euch Mann für Mann!
Haltet stand, wenn Feinde drohen!
Schaut das Morgenrot!
Vorwärts' ist die große Losung,
Freiheit oder Tod!

Sind die ersten auch gefallen,
Rüstet euch zur Tat!
Aus dem Blute unsrer Toten
Keimt die neue Saat!
Weint nicht um des Kampfes
  Opfer!
Schaut des Volkes Not!
Vorwärts ist die große Losung,
Freiheit oder Tod!

Qual, Verfolgung, Not und
  Kerker
Dämpfen nicht den Mut!
Aus der Asche unsrer Schmerzen
Lodert Flammenglut.
Tod den Henkern und Verrätern,
Allen Armen Brot!
Vorwärts ist die große Losung,
Freiheit oder Tod!

Ist die letzte Schlacht geschlagen,
Waffen aus der Hand!
Schlingt um die befreite Erde
Brüderliches Band!
Hört, wie froh die Sicheln rauschen
In dem Erntefeld!
Vorwärts ist die große Losung,
Unser ist die Welt!

Text: Edwin Hoernle (1921)
Melodie: Traditional

24

Poeta Laureatus
– Lied des Leiermanns –

Ein Or - gel - mann lei - ert am Stras - sen -
Ich gab mei - ne Bei - ne dem Va - ter -

rand, er ras - selt mit sei - nen Pro - the - sen:
land; ich bin ein Kriegs-held ge - we - sen.

Zu - hau - se ließ ich die Kin - der, das

Weib, die hun - gern sich den Skor - but an den

Leib; – ich brüll - te ge - reim - te Ge - sän -

ge und kämpf - te im Schlach - ten - ge - drän - ge.

Doch das macht nichts, das tut nichts, das

kommt nicht drauf an, mich ha - ben die Dich - ter be -

gei - stert, sie ha - ben das Hirn mir ver -

klei - stert, daß ich jetzt mit Kunst - bei - nen
ras - seln kann. Ein Hoch der Po - e - sie! Es
le - be das Ge - nie! Im - mer rein, im - mer
rein in die A - ka - de - mie!

Ein Orgelmann leiert am Straßenrand,
Er rasselt mit seinen Prothesen:
Ich gab meine Beine dem Vaterland;
Ich bin ein Kriegsheld gewesen.
Zu Hause ließ ich die Kinder, das Weib,
Die hungern sich den Skorbut an den Leib; –
Ich brüllte gereimte Gesänge
Und kämpfte im Schlachtengedränge.
Doch das macht nichts, das tut nichts, das kommt nicht drauf an –
Mich haben die Dichter begeistert,
Sie haben das Hirn mir verkleistert,
Daß ich jetzt mit den Kunstbeinen rasseln kann. –
Ein Hoch der Poesie! Es lebe das Genie!
Immer rein, immer rein in die Akademie!

Hurra, ich kann singen auch ohne Bein
Und orgeln zu Dichters Reimen.
Drum sollen sie auch Akademiker sein
Und den Geist des Vaterlands leimen.
Was ich hatte, das stahl mir die Inflation,
Und der Hauswirt schluckt meine Krüppelpension,
Ich dreh meinen Leierkasten

Und üb mich in Frieren und Fasten.
Doch das macht nichts, das tut nichts, das kommt nicht drauf an.
Wenn die Dichter nur werkeln am Staate,
Dann freut sich ein tapfrer Soldate
Noch als bettelnder Leierkastenmann.
Ein Hoch der Poesie! Es lebe das Genie!
Immer rein, immer rein in die Akademie!

Das Leben der Dichter ist immer ein Fest,
Besonders der Prominenten.
Sie singen vom Mond, von der Frau, vom Inzest,
Da schmecken den Reichen die Renten.
Und macht ein Poet als Prolet sich gemein,
Dann sperrt man ihn rechtens ins Zuchthaus ein.
Er braucht ja den Staat nur zu loben –
Dann wird er vom Staate erhoben.
Doch das macht nichts, das tut nichts, das kommt nicht drauf an.
Wir preisen die Republike
Mit Versen teils, teils mit Musike.
Der Dichter reimt's erst, ich orgle es dann:
Ein Hoch der Poesie! Es lebe das Genie!
Immer rein, immer rein in die Akademie!

Text: Erich Mühsam
Melodie: Jürgen Knieper/Alexander Lipping

»Wir unterzeichneten deutschen Ärzte begrüßen den Aufruf Henri Barbusses* zum Kampf gegen einen neuen Krieg. Wir Ärzte kennen den Schrecken des Krieges am besten, weil wir noch heute die irreparablen Gesundheitsschäden des letzten Krieges täglich sehen. Trotz der fortdauernden Vernichtung von Kulturwerten durch den Krieg und obwohl die Greuel des Weltkrieges nicht unvergessen blieben, sind schon wieder Kräfte am Werke, die den Ausweg aus der Wirtschaftskrise in einem neuen Krieg gehen wollen ... Deshalb rufen wir Unterzeichneten die Ärzte aller Länder auf, gegen den Krieg zu kämpfen ...«
(Dr. Sigmund Freud)

* Gemeint ist der Aufruf, den Henri Barbusse und Romain Rolland im Sommer 1932 erließen. Es wird darin zum Besuch eines großen internationalen antimilitaristischen Kongresses, der in Genf stattfinden sollte, aufgefordert. Die Schweiz gestattete nicht, daß der Kongreß dort zusammentrat.

Gesang der Arbeiter

Völker, erhebt euch und kämpft für die ewigen Rechte!
Kämpft und erobert die Freiheit dem Menschengeschlechte!
Reif ist die Zeit. Völker, erhebt euch zum Streit!
Duldet nicht Herren noch Knechte.

Brüder der Arbeit, vereint eure Kräfte zum Bunde!
Einigkeit richtet die Macht der Tyrannen zugrunde.
Stürzt sie in Nacht! Sammelt die eigene Macht!
Arbeiter, nützet die Stunde!

Schließt, Proletarier, ihr den Verband der Nationen!
Jeder für alle, so sprengt ihr die Liga der Drohnen.
Baut euch die Welt, die keine Zwietracht zerschellt!
Lasset den Frieden drin wohnen.

Machet ein Ende dem Krieg und dem Raub und dem Grauen!
Gleichheit den Völkern, den Rassen, den Männern und Frauen!
Gleichheit versöhnt. Arbeit, durch Gleichheit verschönt,
Wird euch die Freiheit erbauen.

Text: Erich Mühsam
Melodie: »*Lobe den Herren*« (»*Ein Versuch, die eindrucksvolle Kirchen-*
musik der proletarischen Kampfidee dienstbar zu machen. Festung Ans-
bach, im Mai 1920«/*Erich Mühsam*)

»Wenn ich das Wort nur höre, das Wort ›Krieg‹, überläuft mich ein
Schrecken so, als spräche man vom Hexenwesen, von der Inquisition, von
einer langvergangenen, abgetanen, abscheulichen, widernatürlichen Sache. Wenn man von Menschenfressern spricht, lächeln wir hochmütig und
bezeugen unsere Überlegenheit über diese Wilden. Sind die Wilden die,
die einander totschlagen, um die Besiegten aufzufressen, oder die, die
einander totschlagen, nur um zu morden, zu nichts anderem als zu morden?
(Guy de Maupassant, 1850–1893)

Wenn die Soldaten nicht solche Dummköpfe wären,
würden sie mir schon längst davongelaufen sein (Fridericus Rex)

George Grosz

29

Trutzlied

A Nennt uns nur höh-nisch Welt-be-glük-ker, weil wir das Joch der Un-ter-drük-ker nicht län-ger dul-den und die Schmach. Lacht nur der neu-en I-de-a-le, leert auf die al-ten die Po-ka-le — — wir ge-ben nicht nach, wir ge-ben nicht nach!

B Setzt euch nur auf die Geld-kas-set-te, daß Gott die ar-me See-le ret-te aus Not, Ge-fahr und Un-ge-mach — und ruft nach eu-ren gu-ten Gei-stern, nach Po-li-zei und Ker-ker-mei-stern, wir ge-ben nicht nach, wir ge-ben nicht nach!

A   Nennt uns nur höhnisch Weltbeglücker,
Weil wir das Joch der Unterdrücker
Nicht länger dulden und die Schmach.
Lacht nur der neuen Ideale,
Leert auf die alten die Pokale –
    Wir geben nicht nach!

A   Legt nur die Stirn in ernste Falten,
Schreckt auf im Bette ungehalten
Und scheuert euch die Augen wach.
Flucht auf die unerwünschte Störung,
Reißt's Fenster auf und schreit: Empörung!
    Wir geben nicht nach!

B   Setzt euch nur auf die Geldkassette,
Daß Gott die arme Seele rette
Aus Not, Gefahr und Ungemach –
Und ruft nach euern guten Geistern,
Nach Polizei und Kerkermeistern –
    Wir geben nicht nach!

A   Daß den Verrat der Teufel hole,
Langt nur die Repetierpistole
Samt den Patronen aus dem Fach,
Und schmückt den Hut mit der Kokarde
Der geldsacktreuen weißen Garde –
    Wir geben nicht nach!

B   Laßt Volkes Blut in Strömen fließen,
Laßt uns erhängen und erschießen,
Setzt uns den roten Hahn aufs Dach.
Laßt Mörser und Haubitzen wüten,
Um euer Diebesgut zu hüten –
    Wir geben nicht nach!

A   Laßt euer Höllenwerkzeug toben!
Die Sehnsucht selbst hat sich erhoben
Des Volks, das seine Ketten brach.
Freiheit und Recht stehn auf der Schanze.
Sieg oder Tod – jetzt geht's ums Ganze! –
    Wir geben nicht nach!

Text: Erich Mühsam
Melodie: Lutz Weißenstein

Wiegenlied

Still, mein armes Söhnchen, sei still.
Weine mich nicht um mein bißchen Verstand.
Weißt ja noch nichts vom Vaterland,
Daß es dein Leben einst haben will.
Sollst fürs Vaterland stechen und schießen,
Sollst dein Blut in den Acker gießen,
Wenn es der Kaiser befiehlt und will. –
Still, mein Söhnchen, sei still!

Trink, mein Söhnchen, von meiner Brust.
Trink, dann wirst du ein starker Held,
Ziehst mit den andern hinaus ins Feld.
Vater hat auch hinaus gemußt.
Vater ward wider Willen und Hoffen
Von einer Kugel ins Herz getroffen.
Aus ist nun seine und meine Lust. –
Trink von der Mutter Brust!

Freu dich, goldiges Söhnchen, und lach.
Bist du ein Mann einst, kräftig und groß,
Wirst du das Lachen von selber los.
Fröhlich bleibt nur, wer krank ist und schwach.
Vater war lustig. Ich hab ihn verloren,
Hab dann dich unter Schmerzen geboren –
Hörst drum ewig mein bitteres Ach!
Freu dich, Söhnchen, und lach!

Schlaf, mein süßes Söhnchen, o schlaf.
Weißt ja noch nichts von Unheil und Not,
Weißt nichts von Vaters Heldentod,
Als ihn die bleierne Kugel taf.
Früh genug wird der Krieg und der Schrecken
Dich zum ewigen Schlummer erwecken . . .
Friede, behüt meines Kindes Schlaf! –
Schlaf, mein Söhnchen, o schlaf . . .

Text: Erich Mühsam
Melodie: Dietrich Lohff

Der Graben

A
Mut - ter, wo-zu hast du dei-nen auf-ge-zo - gen?
Hast dich zwanzig Jahr mit ihm ge - quält? Wo-zu ist er dir in
dei - nen Arm ge-flo - gen, und du hast ihm lei - se
was er - zählt? Bis sie ihn dir weg-ge - nom-men ha - ben
für den Gra - ben, Mut - ter, für den Gra - ben.

B
Drü-ben die fran - zö - si-schen Genos-sen la - gen dicht bei
Eng-lands Arbeitsmann. Al - le ha - ben sie ihr Blut ver -
gos - sen, und zerschossen ruht heut Mann bei Mann.
Al - te Leu - te, Män - ner, man - cher Kna - be
in dem ei - nen gros - sen Mas - sen - gra - be.

A   Mutter, wozu hast du deinen aufgezogen?
     Hast dich zwanzig Jahr mit ihm gequält?
     Wozu ist er dir in deinen Arm geflogen,
     Und du hast ihm leise was erzählt?
       Bis sie ihn dir weggenommen haben
       Für den Graben, Mutter, für den Graben.

A   Junge, kannst du noch an Vater denken?
     Vater nahm dich oft auf seinen Arm.
     Und er wollt dir einen Groschen schenken,
     Und er spielte mit dir Räuber und Gendarm.
       Bis sie ihn dir weggenommen haben.
       Für den Graben, Junge, für den Graben.

B   Drüben die französischen Genossen
     Lagen dicht bei Englands Arbeitsmann.
     Alle haben sie ihr Blut vergossen,
     Und zerschossen ruht heut Mann bei Mann.
       Alte Leute, Männer, mancher Knabe,
       In dem einen großen Massengrabe.

B   Seid nicht stolz auf Orden und Geklunker!
     Seid nicht stolz auf Narben und die Zeit!
     In die Gräben schickten euch die Junker,
     Staatswahn und der Fabrikantenneid.
       Ihr wart gut genug zum Fraß für Raben,
       Für das Grab, Kamraden, für den Graben!

B   Werft die Fahnen fort! Die Militärkapellen
     Spielen auf zu euerm Todestanz.
     Seid ihr hin: ein Kranz von Immortellen –
     Das ist dann der Dank des Vaterlands.

A   Denkt an Todesröcheln und Gestöhne.
     Drüben stehen Väter, Mütter, Söhne,
     Schuften schwer, wie ihr, ums bißchen Leben.
     Wollt ihr denen nicht die Hände geben?
       Reicht die Bruderhand als schönste aller Gaben
       Übern Graben, Leute, übern Graben –!

Text: Kurt Tucholsky
Melodie: Hanns Eisler

»Es herrscht blindes Vertrauen zu jenem von Geschlecht zu Geschlecht überliefertem und noch immer bei jedem möglichen Anlaß vorgebrachten altrömischen Idiotensatz: ›Wenn du den Frieden willst, bereite den Krieg vor.‹ Dadurch, daß er lateinisch war, war der Satz übrigens schon halb als richtig erwiesen; für die andere Hälfte der Richtigkeit bürgte die vieltausendfache Wiederholung. Das Land A schwört hoch und teuer, daß es den Frieden will und nur sich so furchtbar macht, weil sonst Land B den Frieden bräche. Genau dasselbe sagt Land B mit Bezug auf A. Beide parieren: sonderbares Duell. Sonderbarer Frieden: Beide zeigen sich die Zähne. Jedes mutet dem anderen Hinterlist und Tücke zu – weil jedes vermutlich selber tückisch ist –, jedes rüstet, um es den Rüstungen des anderen gleichzutun. Dadurch entsteht ein endloses Überbieten. Immer grimmiger krümmen sich die Krallen, immer spitzer entblößen sich die Eckzähne, immer höher sträuben sich die Borsten . . . Wenn das zwei Eber tun, so weiß man, was das bedeutet . . .«
(Bertha von Suttner, 1843–1914)

»Die Entwicklung der letzten Jahre hat gezeigt, wie wenig wir den Kampf gegen Rüstungen und den militaristischen Geist den Regierungen überlassen dürfen. Aber selbst die Schaffung großer pazifistischer Organisationen bringt uns wenig unserem Ziele näher. Ich bin überzeugt: der einzige Weg ist die Verweigerung des militärischen Dienstes. Nebenher muß die Schaffung von Organisationen gehen, die in den einzelnen Ländern die tapferen Kriegsdienstverweigerer unterstützen. Die Schwierigkeit der pazifistischen Bewegung ist, daß sie nicht genügend ›dramatisch‹ ist, um die Massen zu begeistern. Es muß etwas geschehen, um sie anzulocken. Das Fehlen von derartigen Taten ist es, was die pazifistische Bewegung hindert. Eine solche Tat ist z.B. der Kampf gegen die Dienstpflicht. Das ist heldenhaft, denn die Folge ist stets ein Kampf, weil die Gegner herausgefordert werden. So können wir das pazifistische Problem zu einer Lebensfrage machen, so kann es zu einem wahren Kampf werden, durch den starke Charaktere angezogen werden. Der Kampf ist illegal, aber es ist ein Kampf für die wahren Rechte der Völker gegen ihre Regierungen, wenn diese bedenkliche Handlungen von ihren Staatsbürgern verlangen. Viele, die sich selbst für gute Pazifisten halten, werden an einem so radikalen Pazifismus nicht teilnehmen wollen und entschuldigen das mit Vaterlandsliebe, aber auf solche Leute kann man sich im entscheidenden Moment nicht verlassen. Das hat der Weltkrieg zur Genüge bewiesen.

Wenn die Mitglieder pazifistischer Organisationen sich scheuen, die Behörden anzugreifen schon im Frieden, auf die Gefahr hin, Gefängnis oder Schlimmeres zu erdulden, dann werden wir unterliegen, dann wird es eines Tages zu spät sein. Bricht die Kriegspsychose aus, dann hält die Masse nicht stand. Nur ganz besonders gefestigte Charaktere werden auch im Falle des Kriegsausbruchs Widerstand leisten.«
(Albert Einstein)

Plakat von John Heartfield

Gaslied

Aus ist's mit den bö - sen Krie - gen, sprach der Völ-ker-bund,
Frie-dens-tau-ben mun-ter flie-gen um das Er - den-rund.
Es er-tönt in je - dem Land Frie-dens - mu-sik,
und ge-äch-tet und ver-bannt ist jetzt der Krieg!
Nur zum Spaß macht man Gas, weil's noch kei-ner kennt.
Pan - zer-kreu-zer sind das be - ste Frie-dens-in - stru-ment.
Tank-ge-schwader, Flieger - bom-ben nur für den Sport,
nie - mand denkt mehr an Mas - sen - mord. Tie - fer
Frie - den, weit und breit, end - lich die e - wi - ge
Frie-dens-zeit. Ro - te Front! Erst dann wird der Frie-den nicht

mehr ge-stört, wenn dem Pro-le-ten die Welt ge-hört.

Drum reih dich ein in die Ro-te Front!

Aus ist's mit den bösen Kriegen,
Sprach der Völkerbund,
Friedenstauben munter fliegen
Um das Erdenrund.
Es ertönt in jedem Land
Friedensmusik,
Und geächtet und verbannt
Ist jetzt der Krieg!
Nur zum Spaß macht man Gas,
Weil's noch keiner kennt.
Panzerkreuzer sind das beste Friedensinstrument.
Tankgeschwader, Fliegerbomben nur für den Sport,
Niemand denkt mehr an Massenmord.
Tiefer Frieden weit und breit,
Endlich die ewige Friedenszeit.

Doch im allertiefsten Frieden
Explodierte was,
Und der Menschheit war beschieden
Bestes Phosgengas.
Allen guten Pazifisten
Wurde plötzlich mies,
Doch den Mund weit aufgerissen
Sprachen sie dies:
Mit dem Gas, das macht Spaß,
Weil's noch keiner kennt.
Phosgengas, das ist das beste Friedensinstrument.
Gasgefüllte Fliegerbomben, nur für den Sport.
Wirklich denkt niemand an Massenmord.
Tiefer Friede weit und breit,
Immer noch ewige Friedenszeit.

Mit den Friedenslobtiraden
Wirst du eingewiegt,
Bis der erste Giftgasschwaden
Dir im Magen liegt;
Bis du wirst im Krieg verrecken
An Giftgasduft;
Aus dem Schlaf dich zu erwecken:
Die Rote Front ruft!
Krieg dem Krieg! Unser Sieg
Macht dem Mord ein End,
Unsre Fäuste sind das beste Friedensinstrument.
Es vertreibt die Giftgaswolken vom Horizont,
Das Heer der Arbeit – die Rote Front!
Erst dann wird der Frieden
Nicht mehr gestört,
Wenn dem Proleten die Welt gehört.
Drum reih dich ein in die Rote Front!

Text und Melodie: Agitprop-Truppe »Rote Raketen« 1929

Anmerkung:
Im Jahre 1928 gab es in Wilhelmsburg bei Hamburg bei einem Betriebs-
unfall eine Giftgasexplosion, die bewies, daß trotz Verbot in Deutschland
wieder militärische Kampfstoffe hergestellt wurden.

Nie, nie woll'n wir Waffen tragen

Nie, nie woll'n wir Waffen tragen,
Nie, nie woll'n wir wieder Krieg!
Laßt die hohen Herren sich selber schlagen,
Wir machen einfach nicht mehr mit!

Nooit! Nooit! zullen we wapens dragen!
Nooit! Nooit! doen we met ze mee!
Willen de groote heeren and're menschen vragen ...
Wij zijn soldaten van de vree.

No, no, we have done with fighting,
No, no, we shal'nt join again.
We have seen too much, it was not so exciting,
We at last are growing sane.

Text und Melodie: Kees Boeke (deutsche Fassung durch allgemeinen Gebrauch verändert)

Soldatenlied

Wir lernten in der Schlacht zu stehn
Bei Sturm und Höllenglut.
Wir lernten in den Tod zu gehn,
Nicht achtend unser Blut.
Und wenn sich einst die Waffe kehrt
Auf die, die uns den Kampf gelehrt,
Sie werden uns nicht feige sehn.
Ihr Unterricht war gut.

Wir töten, wie man uns befahl,
Mit Blei und Dynamit,
Für Vaterland und Kapital,
Für Kaiser und Profit.
Doch wenn erfüllt die Tage sind,
Dann stehn wir auf für Weib und Kind
Und kämpfen, bis durch Dunst und Qual
Die lichte Sonne sieht.

Soldaten! Ruft's von Front zu Front:
Es ruhe das Gewehr!
Wer für die Reichen bluten konnt,
Kann für die Seinen mehr.
Ihr drüben! Auf zur gleichen Pflicht!
Vergeßt den Freund im Feinde nicht!
In Flammen ruft der Horizont
Nach Hause jedes Heer.

Lebt wohl, ihr Brüder! Unsre Hand,
Daß ferner Friede sei!
Nie wieder reiß das Völkerband
In rohem Krieg entzwei.
Sieg allen in der Heimatschlacht!
Dann sinken Grenzen, stürzt die Macht,
Und alle Welt ist Vaterland,
Und alle Welt ist frei!

Text: Erich Mühsam
Melodie: »Andreas-Hofer-Lied« bzw. »Dem Morgenrot entgegen«

Erich Mühsam zu diesem Lied: »Das 1916 entstandene Lied wird neuerdings manchmal von Arbeitern nach der etwas variierten Melodie des bekannten Andreas-Hofer-Liedes (nach dem auch Mosts Arbeiterlied gesungen wird) zu singen versucht. Eine eigene Melodie für das Soldatenlied zu finden, wäre für revolutionäre Komponisten vielleicht eine Aufgabe.«

Die Kriegsbraut

Ich sage immer allen Leuten,
Ich wäre hundert Jahr ...
Die Hochzeitsglocken läuten ...
Es – ist – alles – gar – nicht – wahr.

Ich liebte einst einen jungen Mann,
Wie man nur lieben kann.
Ich habe ihm alles geschenkt,
Tirili, tirila –
Er hat sich aufgehängt
An seinem langen blonden Spagathaar ...

Auf den Straßen wimmeln Geschöpfe:
Ohne Arme, ohne Beine, ohne Herzen, ohne Köpfe
An der Weidendammer Brücke dreht einer den Leierkasten.

Nicht rosten
Nicht rasten –
Was kann das Leben kosten?
Er hat eine hölzerne Hand,
Aus seiner offenen Brust fließt Sand.
Neben ihm die Schickse
Glotzt starr und stier.
Er hat statt des Kopfes eine Konservenbüchse,
Und sie ist ganz aus Papier.
Eia wieg das Kindelein,
Kindelein
Soll selig sein.

Mein Bräutigam hieß Robert.
Er hat ganz Frankreich allein erobert
Dazu noch Rußland und den Mond,
Wo der liebe Gott in einer goldnen Tonne wohnt.
Als er auf Urlaub kam,
Eia, eia,
Er mich in seine Arme nahm,
Eia, eia.
Die Arme waren aus Holz,
Das Herz war aus Stein,
Die Stirn war aus Eisen,

– Gott wollt's –
Wie sollt' es anders sein?

Er liegt in einem feinen Bett...
trinkt immer Sekt ...
Eia popeia –
Er hat sich mit Erde zugedeckt,
Eia popeia –
Nachts steigt er zu mir empor.
Er schwankt wie im Winde ein Rohr.

Seine Augen sind hohl. Transparent
In der offenen Brust sein Herz rot brennt.
Seine Knochen klingeln wie Schlittengeläut:
Ich bin der Sohn des großen Teut!
Flieg, Vogel, flieg!
Mein Bräutigam ist im Krieg!
Mein Bräutigam ist im ewigen Krieg!
Flieg zum Himmel, flieg!

Fliege bis an Gottes Thron
Und erzähle Gottes Sohn:
– Vielleicht ihn freut's, vielleicht ihn reut's –
Millionen starben, Gott, wie du
Den Heldentod am Kreuz!
Noch ist die Menschheit nicht erlöst,
Weil Gott im Himmel schläft und döst.

Wach auf, wach auf, und zittre nicht,
Wenn der Mensch über dich das Urteil spricht!
Groß, Herr im Himmel, ist deine Schuld,
Doch größer war des Menschen Geduld.
Tritt ab vom Thron,
Du Gottessohn,
Denn du bist nur des Gottes Hohn:
Es flammt die himmlische Revolution.
Du sollst verrecken wie wir!
Tritt ab
Ins Grab,
Mach Platz
Der Ratz,
Dem Lamm oder sonst einem Tier!

(Klabund)

Deutsches Lied

Blasse Kinder auf dem Hof
(Nebenstraße – Westen)
Machen einen kleinen Schwoof
Neben Müllschuttkästen.
Käse-Teint und bleicher Schopf.
Dürftiges Grün im Blumentopf
Auf zwei Fensterbrettern.
Und die Stimmchen klettern:
　　»Kaserne! Kaserne!
　　Sonne, Mond und Sterne!
　　Achtung! Richtung! Vordermann!
　　Du – bist – dran –!«

Tief geduckt im Ziegelbau
Hinter wuchtigen Laden
Sitzen krumm, in Kitteln blau,
Unsre Kameraden.
Staatsanwalt, der schikaniert,
Wärter, der sie malträtiert.
Ihre Stimmen leiern
In Preußen und in Bayern:
　　»Kaserne! Kaserne …

Deutscher Gram und deutsches Leid:
Ämter ohne Ende.
Wucher, den ein Staat gefeit,
Und immer graue Wände.
Wir sind schuld. Ein Schrei, der gellt.
Aber draußen liegt die Welt.
Wir sind ganz alleine.
Und hören nur dies Eine:
　»Kaserne! Kaserne . . .

Text: Kurt Tucholsky
(Theobald Tiger)
Melodie: Dietrich Lohff

Rückkehr geordneter Zustände

George Grosz

»Für einen anständigen Menschen gibt es in bezug auf seine Kriegshaltung überhaupt nur einen Vorwurf: daß er nicht den Mut aufgebracht hat, nein zu sagen. Einem Pazifisten zu erzählen, er sei kein begeisterter Soldat gewesen, ist ungefähr so, wie einem Vegetarier vorzuwerfen, daß er auf einem Schlachtfest gekniffen habe. Aber im Pazifismus, in der Demokratie, unter der Opposition gibt es leider so viel Halbseidene, die dem Gegner den Gefallen tun, auf etwas, was ein Lob ist, als auf einen Vorwurf hereinzufallen. Sie verteidigen sich, anstatt anzugreifen.

Neben der großen Masse der Indifferenten hat es, besonders zu Anfang des Krieges, viele junge Leute gegeben, denen schlechte Schulbildung, mangelnde Erziehung, die Hetzarbeit von Universität, Presse und Kino die Erkenntnis des modernen Krieges nicht ermöglicht haben. Sie glaubten ganz ehrlich, einer guten Sache zu dienen, sie glaubten fest daran, daß Deutschland überfallen worden sei, so, wie die Franzosen und Russen dasselbe von ihren Ländern glaubten – diese jungen Leute meldeten sich freiwillig und gingen in den sinnlosesten Tod. Für sie hatte er Sinn. Ihre umnebelten Gehirne, ihre niedergehaltenen Instinkte, sahen hier das Abenteuer, Buntheit, Sport, Gefahr – und die niedrigste Menschensorte, die Pfaffen der drei großen Konfessionen, versicherten ihnen, daß ihr Tun nun auch noch, zu allem Überfluß, moralisch sei. Die Opfer dieser Massenbesoffenheit sind nicht zu tadeln, sondern zu bedauern . . .

Wie verhalten sich nun bei einer solchen Sachlage viele Pazifisten, wenn man sie fragt: ›Wo waren Sie im Kriege –?‹

Sie drehen sich. Sie winden sich. Sie reden sich aus. Sie wollen ihren ethischen Standpunkt nicht verlassen, wollen aber auch nicht zugeben, feige gewesen zu sein. Im Gegenteil: es gibt sogar manche, die noch stolz auf ihre Mordtaten sind und erklären: Durch diese Morde habe ich erst das Recht erworben, Pazifist zu sein. Ich war ein tapferer Soldat – hier meine Orden, meine Kriegsandenken, meine Papiere –, ich war kein Drückeberger.

Ich halte diese Taktik und diese Halbheit für falsch . . . Daß erst Grabenkampf und vertiertes Soldatensein zum Antimilitarismus legitimieren, will mir nicht einleuchten. Was hier fehlt, ist Zivilcourage.

Ich habe mich dreieinhalb Jahre im Kriege gedrückt, wo ich nur konnte – und ich bedaure, daß ich nicht, wie der große Karl Liebknecht, den Mut aufgebracht habe, Nein zu sagen und den Heeresdienst zu verweigern. Dessen schäme ich mich. So tat ich, was ziemlich allgemein getan wurde: ich wandte viele Mittel an, um nicht erschossen zu werden und um nicht zu schießen – nicht einmal die schlimmsten Mittel. Aber ich hätte alle, ohne jede Ausnahme alle, angewandt, wenn man mich gezwungen hätte: keine Bestechung, keine andre strafbare Handlung hätt' ich verschmäht. Viele taten ebenso.

Und das ist die einzige Antwort, die an die Sachwalter des falschen Kollektivwahns zu erteilen ist:

Ihr interessiert uns nicht. Wir erkennen die Pflichten nicht an, die Ihr uns auflegt – möglich, daß es Gebote gibt, die unser Blut und das unsrer Kinder fordern: der Patriotismus, der Kampf für diesen Staat gehören nicht dazu ... Und käme der edelste, der reinste, der tapferste Mann und forderte uns auf, für die Rohstoffabteilung seines Ministeriums in den Tod zu gehen: wir schüttelten lächelnd das Haupt und ließen ihn seinen Krieg allein machen.

Unser Leben gehört uns. Ob wir feige sind oder nicht, ob wir es hingeben wollen oder nicht: das ist unsre Sache und nur unsre. Kein Staat, keine nationale Telegraphenagentur hat das Recht, über das Leben derer zu verfügen, die sich nicht freiwillig darbieten ...

Wir ... geben keine Rechenschaft und stehen nicht artigwartend da, wenn man uns fragt, und erröten nicht, wenn wir gleichgültig davon sprechen, wie wir es gemacht haben, um einen Tropf von Regimentsarzt zu täuschen, einem Bataillonskommandeur ein Schnippchen zu schlagen, ein Bezirkskommando zu hintergehn. Wir haben eine Antwort auf diese Frage: ›Wo waren Sie im Kriege, Herr?‹

In einer Affenjacke.«

(Ignaz Wrobel = Kurt Tucholsky, Weltbühne 1926)

Die andre Möglichkeit

1. Wenn wir den Krieg ge-won-nen hät-ten,
mit Wo-gen-prall und Sturm-ge-braus,
dann wä-re Deutsch-land nicht zu ret-ten
und gli-che ei-nem Ir-ren-haus. 2. Man
wür-de uns nach No-ten zäh-men
wie ei-nen wil-den Völ-ker-stamm.
Wir sprän-gen, wenn Serge-an-ten kä-men,
vom Trot-to-ir und stün-den stramm.

Wenn wir den Krieg gewonnen hätten,
Mit Wogenprall und Sturmgebraus,
Dann wäre Deutschland nicht zu retten
Und gliche einem Irrenhaus.

50

Man würde uns nach Noten zähmen
Wie einen wilden Völkerstamm.
Wir sprängen, wenn Sergeanten kämen,
Vom Trottoir und stünden stramm.

Wenn wir den Krieg gewonnen hätten,
Dann wären wir ein stolzer Staat.
Und preßten noch in unsern Betten
Die Hände an die Hosennaht.

Die Frauen müßten Kinder werfen.
Ein Kind im Jahre. Oder Haft.
Der Staat braucht Kinder als Konserven.
Und Blut schmeckt ihm wie Himbeersaft.

Wenn wir den Krieg gewonnen hätten,
Dann wär der Himmel national.
Die Pfarrer trügen Epauletten.
Und Gott wär deutscher General.

Die Grenze wär ein Schützengraben.
Der Mond wär ein Gefreitenknopf.
Wir würden einen Kaiser haben
Und einen Helm statt einem Kopf.

Wenn wir den Krieg gewonnen hätten,
Dann wäre jedermann Soldat.
Ein Volk der Laffen und Lafetten!
Und ringsherum wär Stacheldraht!

Dann würde auf Befehl geboren.
Weil Menschen ziemlich billig sind.
Und weil man mit Kanonenrohren
Allein die Kriege nicht gewinnt.

Dann läge die Vernunft in Ketten.
Und stünde stündlich vor Gericht.
Und Kriege gäb's wie Operetten.
Wenn wir den Krieg gewonnen hätten –
Zum Glück gewannen wir ihn nicht!

Text: Erich Kästner
Melodie: Dietrich Lohff

»Dieses Gedicht, das nach dem Weltkrieg ›römisch Eins‹ entstand, erwarb sich damals, außer verständlichen und selbstverständlichen Feindschaften, auch unvermutete Feinde. Das ›zum Glück‹ der letzten Zeile wurde für eine Art Jubelruf gehalten und war doch eine sehr, sehr bittere Bemerkung. Nun haben wir schon wieder einen Krieg verloren, und das Gedicht wird noch immer mißverstanden werden.«
(Erich Kästner)

Die bange Nacht

Die bange Nacht ist nun herum,
Wir fahren still, wir fahren stumm,
Wir fahren ins Verderben!
Wie weht so frisch der Morgenwind,
Gib her, noch einen Schluck geschwind
Vorm Sterben, vorm Sterben!

Der erste Schluck – du liebes Weib!
An dich denk ich mit Seel und Leib,
An dich und unsre Erben!
Ihr Lieben, ach, es ist so schwer,
Für Görings Bauch und Hitlers Ehr'
Zu sterben, zu sterben!

Der zweite Schluck – mein deutsches Land,
Wie lebst du heut' in Schmach und Schand',
In Elend und Verderben!
Der Reiche säuft und frißt vergnügt,
Doch unser armes Deutschland liegt
Im Sterben, im Sterben!

Der dritte Schluck – ich sag es laut:
Dreht die Kanonen um und haut
Das Hitlerreich in Scherben!
Wenn wir vom Feind das Land befrein,
Dann soll's uns eine Ehre sein,
Zu sterben!

Text anonym, als Parodie auf Georg Herweghs »Reiterlied« (1941 in der illegalen Schrift »Das neue Soldaten-Liederbuch, Textbuch mit Melodien« abgedruckt)
Melodie: J. W. Lyra (1822–1882)

Nie wieder Krieg ... jedenfalls nicht gleich

Schneller als es sich die größten Pessimisten nach Beendigung des Zweiten Weltkrieges vorstellen konnten, erwachte der deutsche Drang zum Militarismus nach 1945 wieder zum Leben. Während die literarische Linke sich noch bemühte, das Grauen, das der Faschismus über die Welt gebracht hatte, aufzuarbeiten, planten die Generäle der ehemaligen Wehrmacht zusammen mit der Bonner Regierung schon längst den Aufbau der Bundeswehr, die im erstrebten nordatlantischen Militärbündnis eine bedeutende Funktion einnehmen sollte. Die Einzementierung beider deutscher Staaten in die bestehenden Machtblöcke sollte für die nötigen Feindbilder sorgen und der jeweiligen Bevölkerung die Begründung für die Remilitarisierung liefern.

Der Widerstand gegen diese Zielsetzung artikulierte sich in der Anfangsphase in einer breiten Massenbewegung für die Wiedervereinigung Deutschlands, deren Konsens es war, einen gemeinsamen neutralen, antimilitaristischen Staat zu erlangen. Dieses Ziel stand im völligen Gegensatz zu der Politik der Regierung der Bundesrepublik. Volksabstimmungen wurden verboten, Massenveranstaltungen zerschlagen und die Angliederung an die westlichen Bündnismächte konsequent weitergeführt. Sozialdemokraten und Gewerkschaften kämpften vergeblich gegen diese Entwicklung an. 1954 trat die Bundesrepublik in die NATO ein, und 1956 wurde die allgemeine Wehrpflicht beschlossen. Die DDR wandelte im Gegenzug die kasernierte Volkspolizei in die Nationale Volksarmee um und beschloß ebenfalls eine allgemeine Wehrpflicht.

Genauso hat es damals angefangen

A 1. Kaum war das Tau-send-jähr'-ge Reich ka - putt, da
kro - chen sie be -hend, die Ha - ken - ru - ne
rasch aus dem Knopfloch pol-kend, aus dem Schutt und
mach-ten et - was vorschnell auf Kom - mu - ne.

B 3. Auf ein - mal gab's in Deutsch-land nichts als
Op - fer, be - reit zum Ein - tritt in die Heils-ar -
mee, und schon er - schie-nen auch die Schul-ter -
klop - fer und tre - mo - lier - ten ihr ab - sol - vo

C te! 4. Sieg Heil! Der er - ste Schock ist ü - ber-
wun - den. Die Am - nes - tie be - gießt man auf Ban-

55

ketts. Und man entschä-digt sich für Schreck - se - kun - den
und sucht und fin - det Lö-cher im Ge - setz.

A   Kaum war das Tausendjähr'ge Reich kaputt,
    Da krochen sie behend, die Hakenrune
    Rasch aus dem Knopfloch polkend, aus dem Schutt
    Und machten, etwas vorschnell, auf Kommune.

A   Mit vollen Hosen standen sie parat,
    Mit jeder Sorte Plebs sich zu verbrüdern
    Und drängelten sich vor, dem neuen Staat
    Sich anzubieten oder anzubiedern.

B   Auf einmal gab's in Deutschland nichts als Opfer,
    Bereit zum Eintritt in die Heilsarmee,
    Und schon erschienen auch die Schulterklopfer
    Und tremolierten ihr absolvo te!

C   Sieg Heil! Der erste Schock ist überwunden.
    Die Amnestie begießt man auf Banketts.
    Und man entschädigt sich für Schrecksekunden
    Und sucht und findet Löcher im Gesetz.

A   Schon gehn die meisten wieder durch die Maschen.
    Wie lange noch? Dann steht der Schießverein.
    Denn statt das Land von Nazis reinzuwaschen
    Wäscht man die ganzen Nazis wieder rein.

A   Das darf heut immer noch Soldaten spielen,
    Wohin kein unbequemes Auge guckt,
    Und lernt auf unbequeme Köpfe zielen,
    Bereit zum Einsatz, wenn die Straße muckt.

A   Das läßt schon wieder Meuchelmörder frei,
    Nach denen sie jahrzehntelang gefahndet,
    Als ob inzwischen nichts geschehen sei,
    Doch Fahnenflucht wird immer noch geahndet.

B Das macht, im Schatten der Vergeßlichkeit,
    In seiner Klaue noch den Stil von gestern,
    Schon wieder sich in Leitartikeln breit,
    Und darf, was heut sich redlich müht, verlästern.

C Ja, haben dafür unsre kühnsten Herzen
    Gekämpft, gelitten und ihr Blut verströmt,
    Daß, die wir einst geschworen, auszumerzen,
    Heut nicht einmal mehr öffentlich verfemt?

C Genauso hat es damals angefangen!
    Und wo es aufgehört, ist euch bekannt.
    Verschlaft ihr noch einmal, die zu belangen,
    Dann reicht bestimmt kein Volk uns mehr die Hand.

Text: Erich Weinert (gekürzt)
Melodie: Jürgen Knieper / Alexander Lipping

»Jetzt sitzen also der Krieg, der Pogrom, der Menschenraub, der Mord en gros und die Folter auf der Anklagebank. Riesengroß und unsichtbar sitzen sie neben den angeklagten Menschen. Man wird die Verantwortlichen zur Verantwortung ziehen. Ob es gelingt? Und dann: es darf nicht nur diesmal gelingen, sondern in jedem künftigen Falle! Dann könnte der Krieg aussterben. Wie die Pest und die Cholera. Und die Verehrer und Freunde des Krieges könnten aussterben. Wie die Bazillen.
Und spätere Generationen könnten eines Tages über die Zeiten lächeln, da man einander millionenweise totschlug.«
(Erich Kästner: Streiflichter aus Nürnberg, 22. November 1945)

Lilli Marleen

Aus dem Reich der Toten,
Aus der Erde Grund,
Steigen die Muschkoten
Und öffnen ihren Mund:
Tod bracht uns das Kasernegehn,
Ach, kurz war das Laternestehn
Mit dir, Lilli Marleen.

Unser beiden Schatten
Sah wie einer aus,
Daß wir sehr lieb uns hatten,
Das sah man gleich daraus.
Dann kam Befehl, ins Feld zu gehn,
Du bliebst bei der Laterne stehn
Mit meinem Kind Marleen.

Sind ins Feld gezogen
Nicht zu Deutschlands Ehr,
Und am Wolgabogen
Gab's keine Wiederkehr.
Dort starben unser neun von zehn,
Und über uns die Raben krähn:
Leb wohl, Lilli Marleen!

Denk daran, Marleene,
Eh' dein Sohn marschiert:
Heult erst die Sirene,
Dann ist es bald passiert.
Nie wirst du jemand glücklich sehn,
Wo die Atomraketen stehn.
Denk stets daran, Marleen!

Text: ohne Angabe aus »Lieder gegen die Bombe« (I)
Melodie: bekannte Weise

»Vor einigen Jahren hatte ich mich fast entschlossen, nach Norddeutschland zu übersiedeln. Da kam die Meldung, Dr. Adenauer habe in Rom gesagt, wir Deutschen haben vom lieben Gott die besondere Aufgabe erhalten, Wächter der westlichen Welt gegen die Einflüsse aus dem Osten zu

CDU-Wahlkampfplakat 1953   NPD-Wahlkampfplakat 1972

sein. Zwar fehlten dann nicht die gewohnten Erklärungen, es sei doch nicht so gemeint gewesen, aber ich mißtraue der Göttlichkeit des Abkommandierens einzelner Völker zur besonderen Verwendung.

Ähnlich ging es mir mit dem alten Nazilehrer Zind. Sein alkoholischer Stolz, daß er Dutzenden jüdischer Gefangener mit dem Spaten den Schädel eingeschlagen habe, wundert mich weiter nicht. Die Ausrottung aller alten Nazis wäre ein furchtbares Blutbad gewesen. Derlei lehne ich ab, auch wenn nun dann und wann ein alter Unhold im Alkoholrausch aus der Mördergrube seines Herzens keine Mördergrube macht. Nein, was mich damals weit mehr störte, war der Versöhnungsversuch eines nüchternen Mannes der für Zind zuständigen Unterrichtsbehörde, der zu Zinds Kläger oder zu dessen Anwalt sagte, Herr Zind bedaure seine Äußerungen im Wirtshaus, und es seien in Wirklichkeit gar nicht Juden, sondern nur Russen gewesen. Der Gedanke, mit solchen Versöhnern und Vermittlern in Berührung zu kommen, die die stolze Erinnerung an das Einschlagen von Schädeln russischer Kriegsgefangener allenfalls noch zulässig finden, ist zuviel für mich.«

(Erich Fried, Warum ich nicht in der Bundesrepublik lebe)

Die Maulwürfe
oder Euer Wille geschehe

I

Als sie, krank von den letzten Kriegen,
Tief in die Erde hinunterstiegen,
In die Kellerstädte, die drunterliegen,
War noch keinem der Völker klar,
Daß es ein Abschied für immer war.

Sie stauten sich vor den Türen der Schächte
Mit Nähmaschinen und Akten und Vieh,
Daß man sie endlich nach unten brächte,
Hinab in die künstlichen Tage und Nächte.
Und sie erbrachen, wenn einer schrie.

Ach, sie erschraken vor jeder Wolke!
War's Hexerei, oder war's noch Natur?
Brachte sie Regen für Flüsse und Flur?
Oder hing Gift überm wartenden Volke,
Das verstört in die Tiefe fuhr?

Sie flohen aus Gottes guter Stube.
Sie ließen die Wiesen, die Häuser, das Wehr,
Den Hügelwind und den Wald und das Meer.
Sie fuhren mit Fahrstühlen in die Grube.
Und die Erde ward wüst und leer.

II

Drunten in den versunkenen Städten,
Versunken, wie einst Vineta versank,
Lebten sie weiter, hörten Motetten,
Teilten Atome, lasen Gazetten,
Lagen in Betten und hielten die Bank.

Ihre Neue Welt glich gekachelten Träumen.
Der Horizont war aus blauem Glas.
Die Angst schlief ein. Und die Menschheit vergaß.
Nur manchmal erzählten die Mütter von Bäumen
Und die Märchen vom Veilchen, vom Mond und vom Gras.

Himmel und Erde wurden zur Fabel.
Das Gewesene klang wie ein altes Gedicht.
Man wußte nichts mehr vom Turmbau zu Babel.
Man wußte nichts mehr vom Kain und vom Abel.
Und auf die Gräber schien Neonlicht.

Fachleute saßen an blanken, bequemen
Geräten und trieben Spiegelmagie.
An Periskopen hantierten sie
Und gaben acht, ob die anderen kämen.
Aber die anderen kamen nie.

III

Droben zerfielen inzwischen die Städte.
Brücken und Bahnhöfe stürzten ein.
Die Fabriken sahn aus wie verrenkte Skelette.
Die Menschheit hatte die große Wette
Verloren, und Pan war wieder allein.

Der Wald rückte vor, überfiel die Ruinen,
Stieg durch die Fenster, zertrat die Maschinen,
Steckte sich Türme ins grüne Haar,
Griff Lokomotiven spielte mit ihnen
Und holte Christus vom Hochaltar.

Nun galten wieder die ewigen Regeln.
Die Gesetzestafeln zerbrach keiner mehr.
Es gehorchten die Rose, der Schnee und der Bär.
Der Himmel gehörte wieder den Vögeln
Und den kleinen und großen Fischen das Meer.

Nur einmal, im Frühling, durchquerten das Schweigen
Rollende Panzer, als ging's in die Schlacht.
Sie kehrten, beladen mit Kirschblütenzweigen,
Zurück, um sie drunten den Kindern zu zeigen.
Dann schlossen sich wieder die Türen zum Schacht.

(Erich Kästner)

Lustig ist Soldatenleben

Lustig, zu humanen Zwecken
Seine Waffenpflicht zu tun,
Um im Gleichgewicht der
   Schrecken
Sich vom Denken auszuruh'n
   Und was nun und was nun ...

Lustig wird dann in Kasernen
Den Rekruten sonnenklar:
Grüßen, Büßen,
   Schießenlernen
Rettet uns vor Kriegsgefahr.
   Wunderbar, wunderbar ...

Lustig ziehen die Soldaten
Ins Manöver mit Gesang.
Panzer, Bomber, Handgranaten
Geben einen guten Klang
  Auf der Bank, auf der Bank . . .

Lustig ist Soldatenleben,
Mancher hat sich totgelacht,
Wenn die Bomben
  niederschweben;
Lustig ist es, wenn es kracht
  Tag und Nacht, Tag und Nacht . . .

Lustig sind des Feldherrn Pläne,
Lustig, eingeplant zu sein.
Er der Hobel, ihr die Späne,
Mal ein Arm und mal ein Bein
  Das ist fein, das ist fein . . .

Lustig, wenn Soldaten reisen
In die große, weite Welt,
Um der Nachwelt zu beweisen:
Jeder Deutsche ist ein Held
  Wenn er fällt, wenn er fällt . . .

Lustig, in der Schlacht zu siegen.
Fällst du aus und mußt zurück,
Kannst du Heimaturlaub kriegen,
Denn dir fehlt vom Rumpf ein
  Stück
  So ein Glück, so ein Glück . . .

Die Bilanz: Millionen Tote
– Gott sei Dank, daß keiner
  schreit –,
Doch das ist normale Quote.
Alle Wunden heilt die Zeit
  Seid ihr wieder mal soweit?

Text und Melodie: Liselotte Rauner

Alte Kameraden
» . . . haun sie hier vor der Kaserne ab, sonst laß ich sie
wegen Wehrzersetzung verhaften!« Quelle: SOS-Zeitung

Soldat, Soldat

Sol - dat, Sol - dat in grau - er Norm, Sol -
dat, Sol - dat in U - ni - form, Sol - dat, Sol - dat, ihr
seid so viel, Sol - dat, Sol - dat, das ist kein Spiel; Sol -
dat, Sol - dat, ich fin - de nicht, Sol - dat, Sol - dat, dein
An - ge - sicht. Sol - da - ten sehn sich
al - le gleich, le - ben - dig und als Leich!

Soldat, Soldat in grauer Norm
Soldat, Soldat in Uniform
Soldat, Soldat ihr seid so viel
Soldat, Soldat das ist kein Spiel
Soldat, Soldat ich finde nicht
Soldat, Soldat dein Angesicht
Soldaten sind sich alle gleich
Lebendig und als Leich.

Soldat, Soldat wo geht das hin
Soldat, Soldat wo ist der Sinn
Soldat, Soldat im nächsten Krieg
Soldat, Soldat gibt es kein Sieg
Soldat, Soldat die Welt ist jung
Soldat, Soldat so jung wie du
Die Welt hat einen tiefen Sprung
Soldat, am Rand stehst du.

Soldat, Soldat in grauer Norm
Soldat, Soldat in Uniform
Soldat, Soldat ihr seid so viel
Soldat, Soldat das ist kein Spiel
Soldat, Soldat ich finde nicht
Soldat, Soldat dein Angesicht
Soldaten sind sich alle gleich
Lebendig und als Leich.

Soldaten sind sich alle gleich
– lebendig und als Leich.

Text und Melodie: Wolf Biermann

»Wenn ich einen Menschen töte oder ihm die Freiheit nehme, weil er eine andere politische, religiöse oder irgendwelche Meinung hat, so ist das ganz gewiß kein Beweis, daß meine Meinung die richtigere ist.
Ich bin überhaupt gegen das Töten, denn: Du sollst nicht töten, weder im Krieg noch im Frieden. Ich bin gegen Waffen. Denn es liegt in der Natur eines Gewehres oder einer Kanone, daß sie losgehen will. Natürlich will man mich auslachen. Man wird mir mit dem Satz kommen: si vis pacem para bellum (es gab eine Pistole, die Parabellum hieß unter Weglassung des Vordersatzes. Das ist wenigstens konsequent). Ich kenne keinen gefährlicheren Satz, und ich kenne die Verlockungen und eitlen Verführungen des kriegerischen Handwerks: Tapferkeit, Sieg, Ruhm, Orden, Uniform. Aber gehört nicht mehr Mut dazu, waffenlos zu leben? Zudem gibt es Leute, die sich nicht im dichtesten Kugelregen, aber entsetzlich vor dem Zahnarzt fürchten. Im letzten Krieg haben so viele Millionen Männer, Frauen, Kinder vieler Völker, ich sage nicht ›unter Beweis gestellt‹, sondern bewiesen, daß der Mensch tapfer ist und daß es keines weiteren Beweises in einem neuen Krieg bedarf. Wir wissen es ein für allemal . . .
Mag sein, daß es mir eine fixe Idee ist, wenn ich von den Verlusten in einer Schlacht lese (die Zahlen sind meist aufgerundet) und dabei keinen Augenblick vergesse: es handelt sich bei diesen Tausenden um lauter Einzelne, die Kinder waren, heranwuchsen, liebten und geliebt wurden, jeder ein Ich . . . Krieg ist im Grunde nichts als Mangel an Phantasie und an Gedächtnis.«
(Ernst Penzoldt)

Diesmal

Diesmal werd ich nicht mit ihnen ziehn,
Werd nicht mal winken, nicht an meinem Hoftor stehn,
Wenn sie die schwarzen Boote strandwärts tragen,
Verschwitzt, im Gleichschritt, den die Trommeln schlagen.
Wenn man im Chor die Killerhymne singt,
Der Priester seinen nassen Besen schwingt,
Diesmal werd ich nicht, diesmal werd ich nicht.

Keiner meiner Leute soll sie sehn,
Kein Kind mit Salz, kein Weib mit Wein zu ihnen gehn.
Treib' Kinder, Vieh und Weiber von den Toren,
Stopf meinen Töchtern Honig in die Ohren,
Sperr meine Söhne mit den Mägden ein
Und öffne ihnen meinen stärksten Wein.
Niemand soll sie sehn, niemand soll sie sehn.

Ich zerschlug mein Boot, mein Kerbenbeil,
Zerschnitt mein Schild, bot meine Schlächterschürze feil.
Will keine Kreuze mehr in Boote ritzen
Und keine Kerben mehr in Beile schnitzen.
Ich will nicht, daß ein Lederschild mich schützt
Und Blut auf eine Schlächterschürze spritzt.
Ich zerschlug mein Boot, ich zerschlug mein Boot.

Ich will nur durch meine Ställe gehn,
Das Wetter riechen und bei meinen Leuten stehn,
Hier trinken und mit jenen was erzählen
Und meinen Söhnen ihre Weiber wählen,
Drauf achten, daß kein Kind mit Beilen schlägt
Und eine Kinderschlächterschürze trägt.
Darauf achte ich, darauf achte ich.

Diesmal werde ich am Hoftor stehn,
Wenn sie geschlagen, ohne Tritt nach Hause ziehn.
Ich hör mich satt an dem zerschlurften Schweigen
Und werde allen meinen Leuten zeigen,
Wie man die toten Männer landwärts bringt,
Der Priester seinen nassen Besen schwingt.
Alle sollen sehn, alle sollen sehn.

Text und Melodie: Franz Josef Degenhardt

Ein Traum macht Vorschläge

Ich träume – man kann das ja ruhig gestehen – fast nie.
Ich schlafe lieber, sobald ich liege.
Aber kürzlich hab ich trotzdem geträumt, wissen Sie.
Und zwar vom kommenden Kriege.

Aus den Gräben krochen Millionen Männer hervor
(Lauter Freiwillige, wie eine Stimme betonte),
Die hoben ihre Gewehre zur Schulter empor
Und prüften, wen zu erschießen sich lohnte.

Sie kamen einander entgegen, fertig zum Schuß und stumm...
Doch da schrie eine Stimme, als wäre jemand in Not!
Da drehten die Männer, wie auf Kommando, die Flinten herum
Und schossen sich selber tot.

Sie fielen in endlosen Reihn.
Ich träume doch eigentlich nie ...
Und wer mag das nur gewesen sein,
Der so schrie?

(Erich Kästner)

Der General

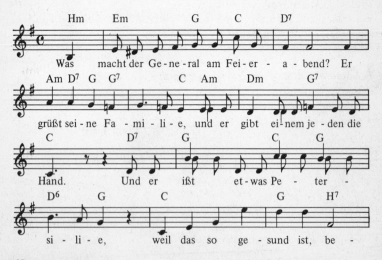

Was macht der Ge-ne-ral am Fei-er - a - bend? Er
grüßt sei-ne Fa-mi-li-e, und er gibt ei-nem je-den die
Hand. Und er ißt et-was Pe-ter-
si-li-e, weil das so ge-sund ist, be-

son - ders, wenn man ein gan - zes Bund ißt. Was
macht der Ge - ne - ral, wenn er die Zei - tung liest? Er
träumt von ei-nem an - de-ren Land.

Was macht der General am Feierabend?
Er grüßt seine Familie,
Und er gibt einem jeden die Hand.
Und er ißt etwas Petersilie,
Weil das so gesund ist,
Besonders, wenn man ein ganzes Bund ißt.
Was macht der General, wenn er die Zeitung liest?
Er träumt von einem anderen Land.

Was macht der General in der Nacht?
Er liegt um elf unterm Daunenpfühl,
Und er schläft seinen freundlichen Schlaf.
Und er schätzt das allnächtliche Gefühl,
Das ein jeder im Leib hat,
Der zwei Kinder, Brot und ein Weib hat.
Was macht der General, wenn er nicht schlafen kann?
Er träumt von einem anderen Land.

Was macht der General am nächsten Morgen?
Er grüßt seine Paraden,
Er gibt aber keinem die Hand.
Denn das sind ja seine Kameraden,
Weil das so gesund ist,
Besonders, wenn man ein ganzes Bund ist,
Was macht der General im müden Morgenlicht?
Er spricht von einem feindlichen Land.

George Grosz

Was macht der General nach der Schlacht?
Er grüßt die Hinterbliebenen,
Er gibt natürlich keinem die Hand.
Er macht es mit etwas Geschriebenem,
Weil nichts anderes drin ist,
Und weil, was hin ist, hin ist.
Was macht der General, wenn er unterschreibt?
Da denkt er an sein eigenes Hemd.

Was macht der General nach dem Krieg?
Er schreibt an seine Familie,
Und er schreibt nicht über den Rand.
Später kriegt er von der Frau den Begrüßungskuß,
Weil er wieder da ist,
Und weil er ja schließlich der Papa ist.
Was macht der General, wenn er nach Hause kommt?
Ja,
Dann ist er halt wieder im Land!

Text und Melodie: Dieter Süverkrüp

»Kriege werden von Leuten in Gang gesetzt, die nichts dabei finden, daß andere fallen – andere, nicht sie. Sie schließen einen heimlichen Pakt mit dem Tod: ›Mach mich reich, mach mich groß, und ich werde dir Seelen zuführen, soviel du willst!‹ Am liebsten verarbeiten sie – kaufmännisch oder strategisch – Menschenmaterial: vom Menschen wissen sie nichts. Ihr Weizen blüht auf blutgedüngtem Boden, der Lorbeer an ihren Stahlhelmen ist auf Friedhöfen gewachsen. Es sind Henker, Henkersknechte. Sie haben alle zusammen nur einen Feind: den Frieden. Diesem rückt man erfahrungsgemäß am besten mit Mythen und Märchen zu Leibe, also indem man vom bösen Wolf, vom stolzen Helden und vom süßen Tod erzählt. Für eine Stange Gold läßt sich niemand sein einziges Leben abkaufen; für einen kindlichen, fadenscheinigen Mythos schenkt er es her.«
(Kurt Kusenberg)

Das Lied von der Trommel

Tumm tumm terumm tumm tumm,
Eine Trommel geht im Lande um,
Im Lande geht um eine Trommel.
Der Schlegel springt, das Kalbfell klingt,
Durch Stadt und Dorf sie lockend singt –
Und viele folgen der Trommel.

Tumm tumm terumm tumm tumm,
Eine Trommel geht im Lande um,
Im Lande geht um eine Trommel.
Die Männer folgen mit stumpfem Blick
Und keiner von ihnen schaut einmal zurück –
Ihr Blick gilt nur der Trommel.

Tumm tumm terumm tumm tumm,
Eine Trommel geht im Lande um,
Im Lande geht um eine Trommel.
Die Mütter und Frauen blieben daheim;
Ihr Leben ward leer, sie blieben allein –
Die Männer folgten der Trommel.

Tumm tumm terumm tumm tumm,
Im Lande ging eine Trommel um,
Eine Trommel ging um im Lande.
Den Männern brachte ihr Dröhnen den Tod;
Den Müttern und Frauen bittere Not –
Und Tränen brachte die Trommel.

Tumm tumm terumm tumm tumm,
Daß nie mehr geht eine Trommel um,
Eine Trommel um im Lande!
Daß Mütter und Frauen nie mehr allein:
Zerschlagt die Trommel, die Schlegel aus Bein! –
Ja, deshalb zerbrecht die Trommel!

Text und Melodie: Joe Mateiko

»Gestatten Sie mir, als einem Schriftsteller, zu der Furcht einflößenden
Frage einer Wiedereinführung der *Wehrpflicht* Stellung zu nehmen.
Als ich ein junger Mensch war, gab es in Deutschland eine Wehrpflicht,
und ein Krieg wurde begonnen, der verlorenging. Die Wehrpflicht wurde
abgeschafft, aber als Mann erlebte ich, wie sie wieder eingeführt wurde,
und ein zweiter Krieg wurde begonnen, größer als der erste. Deutschland
verlor ihn wieder und gründlicher, und die Wehrpflicht wurde wieder abgeschafft. Diejenigen, die sie eingeführt hatten, wurden von einem Welt-
gerichtshof gehängt, soweit man ihrer habhaft werden konnte. Jetzt, an
der Schwelle des Alters, höre ich, daß die Wehrpflicht zum dritten Mal
eingeführt werden soll.

DDR-Plakat 1951

Gegen wen ist der dritte Krieg geplant? Gegen Franzosen? Gegen Polen? Gegen Engländer? Gegen Russen? Oder gegen Deutsche? Wir leben im Atomzeitalter, und 12 Divisionen können einen Krieg nicht gewinnen – wohl aber beginnen. Und wie sollten es bei allgemeiner Wehrpflicht 12 Divisionen bleiben? Wollt Ihr wirklich den ersten Schritt tun, den ersten Schritt in den Krieg? Den letzten Schritt, den in das Nichts, werden wir dann alle tun. Und wir wissen doch alle, daß es friedliche Möglichkeiten der Wiedervereinigung gibt, freilich nur friedliche. Uns trennt ein Graben, soll er befestigt werden? Krieg hat uns getrennt, nicht Krieg kann uns wieder vereinigen.

Keines unserer Parlamente, wie immer gewählt, hat von der Bevölkerung Auftrag oder Erlaubnis, eine allgemeine Wehrpflicht einzuführen.

Da ich gegen den Krieg bin, bin ich gegen die Einführung der Wehrpflicht in beiden Teilen Deutschlands, und da es eine Frage auf Leben und Tod sein mag, schlage ich eine Volksbefragung darüber in beiden Teilen Deutschlands vor.«

(Bertolt Brecht, Offener Brief an den Deutschen Bundestag)

73

Unser Marsch ist eine gute Sache

Im April des Jahres 1956 sprechen sich die Mitglieder des Weltfriedensrates im »Stockholmer Appell« für ein Verbot von Atomwaffen aus. In der Bundesrepublik löst vor allem die Initiative von 18 führenden Kernphysikern, der »Göttinger Appell« an die Bundesregierung, atomare Waffen nicht auf deutschem Boden stationieren zu lassen, größere Diskussionen aus. Auch Albert Einstein schließt sich diesem Appell an. Doch ein Antrag der SPD, ein Stationierungsverbot für Kernwaffen auszusprechen, findet im Bundestag keine Mehrheit.

Breite Unterstützung in der Bevölkerung findet der Arbeitsausschuß »Kampf dem Atomtod«, der sich 1958 konstituiert. SPD und DGB sind an diesem Arbeitsausschuß führend beteiligt. Eine Volksbefragung über die Atombewaffnung wird jedoch vom Bundesverfassungsgericht als verfassungswidrig verboten. Die SPD ist bereit, dieses Verbot zu akzeptieren.

Zu Beginn der 60er Jahre entsteht eine neue immer stärker werdende Bewegung, der Ostermarsch. 1960 findet der erste Ostermarsch von Hamburg zum Raketenübungsplatz Bergen-Hohne statt. In den folgenden Jahren steigt die Zahl der Ostermarschierer kontinuierlich an, so 1962 auf 30000 und 1964 auf 100000. In allen Bundesländern finden zu Ostern Protestmärsche gegen die Atombewaffnung statt. Besonders unter dem Eindruck der zunehmend stärkeren Eskalation des Vietnamkrieges, des Beginns der Bombardierung von Nordvietnam durch die USA im Jahre 1965, gewinnt der Ostermarsch eine für die Zeit des »Kalten Krieges« beachtliche Breitenwirkung und beeinflußt auch die beginnende Studentenrevolte.

Die Große Koalition zwischen SPD und CDU/CSU und die Verabschiedung der Notstandsgesetze verändern das politische Bild der Bundesrepublik völlig. Gewerkschaften und Sozialdemokraten beteiligen sich nicht mehr an pazifistischen Kampagnen und verlieren an Glaubwürdigkeit. Die Protestbewegung, die sich immer mehr auf die Greuel des Vietnamkrieges konzentriert, legt auf eine parlamentarische Unterstützung keinen Wert mehr und gibt sich den Namen »Außerparlamentarische Opposition«.

Prominente Künstler, Wissenschaftler und Schriftsteller protestieren gegen die atomare Bewaffnung; 1958

Bombe weg!

Hörst du nicht H - Bom-ben - don - ner?
Denkst du dir denn nichts da - bei?
Men-schen müs - sen lang - sam ster - ben,
ist es dir denn ei - ner - lei?
Willst du, daß die klei - nen Kin - der
e - lend dran zu - grun - de gehn,
und die Nach - barn und die Freun - de
willst du sie ver - bren - nen sehn?
Bom - be weg für al - le Zei - ten!
Ist jetzt o - - ber - stes Ge - bot.

Ei - nig sein in die - sem Zie - le,

o - der wir sind mor - gen tot.

Hörst du nicht H-Bombendonner?
Denkst du dir denn nichts dabei?
Menschen müssen langsam sterben,
Ist es dir denn einerlei?
Willst du, daß die kleinen Kinder
Elend dran zugrunde gehn,
Und die Nachbarn und die Freunde
Willst du sie verbrennen sehn?
   bombe weg für alle Zeiten!
   Ist jetzt oberstes Gebot.
   Einig sein in diesem Ziele,
   Oder wir sind morgen tot.

Sag's den Führern der Nationen,
Sag's der ganzen weiten Welt:
Todesasche trifft uns alle,
Wenn das Gift vom Himmel fällt.
Mord bedroht jetzt alle Menschen
Hier und fern in jedem Land.
Wirst du nicht dagegen angehn,
Hast du Blut an deiner Hand.
   Bombe weg für alle Zeiten ...

Nur an deiner Stimme liegt es,
Ob die Welt zu Asche wird.
Nur an deinem Handeln sieht man,
Ob Vernunft dein Herz regiert.
Darum mußt du mit uns gehen,
Denn es ist noch nicht zu spät.
Dein Gewissen muß jetzt sprechen,
Daß die Erde fortbesteht.

Text: Gerd Semmer
Melodie: Traditional

Ein Bomben ist gefallen

Munter/Vorsänger, Chor wiederholt

Ein Bomben ist ge-fal-len wohl in den küh-len Tag.

Mit ih-ren scharfen Krallen man sie nicht spü-ren mag.

Die Blü-melein, sie sprie-ßen nun gar nicht mehr so schnell,

und al-le Flüß-lein flie-ßen zu-rück zu ih-rem Quell.

Ein Bomben ist gefallen
Wohl in den kühlen Tag.
Mit ihren scharfen Krallen
Man sie nicht spüren mag.
Die Blümelein sie sprießen
Nun gar nicht mehr so schnell
Und alle Flüßlein fließen
Zurück zu ihrem Quell.

Auch Export-Import-Meyern
Ging in den Untergrund.
Sein Bunker der ist bleiern
Und seine Seel gesund.
Der Rentner Gottlob Führe
Sein Chancen hat er gern,
Er blättert die Broschüre
Und strahlt als wie ein Stern.

Wie Heu und wagenweise
Der Schnitter lädt Gebein.
Herr Meyer schaudert leise,
Er zieht sein Fernrohr ein.

Der Bunker, der war teuer,
Verseuchte Nachbarn nahn:
Da gibt Frau Meyer Feuer
Und zieht den Abzugshahn.

O lieber Herre Christe
Sei gnädig diesen Leut,
Schenk Meyer Brot und Würste
Und uns die Sicherheit
Halunken die zu heißen,
Die pred'gen diesen Krieg,
Die mit der ganzen Scheißen
Noch treiben Politik.

In ihrem Haus, da wohnen
Nur Haß und Lug und Trug.
Da wohnen große Drohnen,
Die kriegen nie genug.
Die lassen Bomben fallen
Wohl in den kühlen Tag,
Wenn keiner von uns allen
Sie daran hindern mag.

Text und Melodie: Hannes Stütz

»Im Hinblick auf die westdeutsche, englische, französische und italieni-
sche Atombewaffnung liegt etwas anderes noch viel näher: die ostdeut-
sche, tschechoslowakische, ungarische und polnische Atombewaffnung.
Man ist dabei, aus Europa ein *Atom-Korea* zu machen!

Und diesem koordinierten, diesem systematischen Untergang sollen wir
aus Gründen der parlamentarischen Etikette zusehen, ohne zu mucksen?
Nur das, erzählt man uns, sei wahre Demokratie? Und wir untergrüben
sie, wenn wir feststellen wollten, was längst jeder weiß: daß die Majorität
der Abgeordneten den von der Mehrheit der Wähler im guten Glauben
ausgestellten Blankoscheck mißbraucht hat? *Wer* hat denn hier die Demokratie untergraben? Eine Volksbefragung in dieser Frage auf Tod und
Leben wäre ja gar nicht nötig. Eine Umfrage des Meinungsforschungs-
instituts EMNID hat ja bereits ergeben, daß mehr als 80% der Bevölkerung in der Bundesrepublik die Ausrüstung der Bundeswehr mit Atomwaffen ablehnen! Die andere Mehrheit, die Bonner Majorität, braucht
das Resultat dieser repräsentativen Umfrage ja nur anzuerkennen!

Bonn erkennt das Resultat natürlich *nicht* an. Bonn bekennt seinen töd-
lichen Fehler *nicht.* Und Bonn wehrt sich gegen eine Volksbefragung auf
breiterer Ebene mit Argumenten, die der Beschreibung spotten. Volksbe-
gehren und Volksentscheid seien verfassungswidrige Formen der Volksbefragung, und deswegen sei *jede* Art von Volksbefragung verfassungswidrig. Solche Witze als Antwort auf eine Lebensfrage lehne ich ab.

Ich verweigere die Annahme. Über den scheinbaren Beweis, daß die
Schnecke schneller laufe als Achill, und über Sätze wie: ›Alle Raubtiere
sind Säugetiere, also ist die Kuh ein Raubtier!‹ haben wir schon als Quar-
taner nicht mehr gelacht. Im Buch der deutschen Geschichte wird sich das
Bonner Argument sehr merkwürdig ausnehmen. Doch vielleicht ist es mit
unserer Geschichte und mit unseren Geschichtsbüchern bald zu Ende.

Eines erführe ich vorher brennend gerne: haben die Regierung und die
Parlamentsmajorität *gewußt,* wie die Bevölkerung über die Atombewaffnung denkt, oder haben sie es *nicht* gewußt? Wenn sie es *nicht* gewußt haben, waren sie, gelinde gesagt, keine Politiker. *Wenn* sie es aber gewußt
haben, dann waren sie, noch gelinder gesagt, keine Demokraten.

Ich bin kein Physiker und kein Politiker, sondern ein Schriftsteller. Deshalb
möchte ich mit einem vierzeiligen Epigramm schließen. Es möge unseren Pa-
tentchristen im Bundestag bei ihrer Gewissensforschung weiterhelfen! Vide-
ant consules! Die Überschrift des Epigramms heißt ›Neues vom Tage‹:

Da hilft kein Zorn, da hilft kein Spott!
Da hilft kein Fluchen und kein Beten!
Die Nachricht stimmt: Der Liebe Gott
Ist aus der Kirche ausgetreten!«

*(Erich Kästner, 18. 4. 1958. Rede auf einer Veranstaltung des »Komitee
gegen Atomrüstung« im Münchener Circus Krone)*

Die Höllenbombe

Gitarre schlägt Viertel durch

Gott hat die Bom - be nicht ge - macht. Er will nicht, daß die Welt ein - kracht. A - tom - bom - ben zu Got - tes Ruhm — was ist das für ein Chri - sten - tum!

Gott hat die Bombe nicht gemacht.
Er will nicht, daß die Welt
  einkracht.
Atombomben zu Gottes Ruhm –
Was ist das für ein Christentum!

Gott hat die Erde so geliebt,
Daß allen er das Leben gibt.
Er schickt zur Erde seinen Sohn –
Dem aber spricht die Bombe hohn.

Die Bombe, die ist Menschenwerk,
Drauf richtet eurer Augenmerk.
Was Hirn und Hand des Menschen
  tut,
Das kann er selber machen gut.

Gott hat die Bombe nicht gemacht.
Er will nicht, daß die Welt einkracht.
Atombomben zu Gottes Ruhm –
Was ist das für ein Christentum!

Text: Gerd Semmer
Melodie: Dieter Süverkrüp

Geh mit uns

Halt, bleib stehn,
Geh nicht an uns vorbei!
Beachte unsre Warnung,
Hör auf unsern Schrei!
Ächte alle Bomben,
Der Krieg, er sei gebannt,
Und steck nicht wie der Vogel
    Strauß
Den Kopf in Wüstensand.
    Geh mit uns,
    Wer du auch immer bist,
    Geh mit uns,
    Freidenker oder Christ!
    Geh mit uns
    Und sei nicht länger blind,
    Wie es die Mächtigen der Welt
    Und ihre Helfer sind.

Siehst du nicht
Die Hungernden der Welt?
Erkennst du nicht die Fragen,
Die man dir jetzt stellt?
Wie ein Mensch zu denken,
Das ist jetzt deine Pflicht.
Vielleicht willst du schon sterben,
Deine Kinder wollen's nicht.
    Geh mit uns ...

Läßt du zu,
Daß diese Welt zerbricht?
Die Leiden von Hiroshima,
Stören sie dich nicht?
Hast du aus den Leiden
Noch immer nichts gelernt?
Protest! Protest! Die Bombe weg!
Bevor sie dich entfernt.
    Geh mit uns ...

Text: anonym, aus dem Englischen
Melodie: »By an' by«

»Die innerdeutsche Entfremdung, von der bereits die Rede war, stellt sich am sinnfälligsten im ›Zonendeutschtum‹ dar. Hierbei handelt es sich um eine moderne Krähwinkelei, nicht weniger blamabel als die früheren Spielarten lokalpatriotischer Herkunft. Man ist zunächst einmal anglophil, russophil, frankophil, je nach der ortsansässigen Besetzung, und betreibt diese Philisterei, vor allem unterm Gesichtspunkt der Abgrenzung und Selbstgenügsamkeit, mit kindischer Leidenschaft. Dadurch werden die internationalen Spannungen auf deutschem Boden erhöht, statt reduziert. Es geht zu wie bei einem Tauziehen, wo sich die Kleinen, die eigentlich noch gar nicht mitspielen sollen, strampelnd und krähend an die Seilzipfel und an die Hosenbeine der Großen hängen. Es ist immer das alte Lied: Entweder wollen wir die Welt erobern oder zwischen Garmisch und Partenkirchen Grenzpfähle errichten. Uns auf normale Weise als Volk zu empfinden, liegt uns nicht besonders. Es wäre zu natürlich. Der gesunde Menschenverstand war noch nie unsere Stärke.«
(Erich Kästner)

Verbrannte Erde in Deutschland

Feuer! Vorsicht, man legt Feuer.
Ein Atomminengürtel wird geplant.
Geht auf die Straße und schreit: Feuer!
Feuer, unsre Erde wird verbrannt!

Pfarrer, laß die Glocken läuten,
Denn wir brennen alle sonst zu Staub.
Fort mit den großen Generälen;
Sie sind für den Schrei der Menschen taub.

Bürger, deine alten Städte
Sind nicht heil, doch haben überlebt.
Wer aber wird sie noch erkennen,
Wenn am letzten Tag die Erde bebt?

Bauer, deine grünen Felder
Sind bedroht von diesem Teufelsplan,
Denn gegen Menschen, Vieh und Wälder
Steht die Wand aus Feuer himmelan.

Arbeiter, die Werke brennen,
Wo dein Schweiß dir gibt dein täglich Brot.
Sieh, wo die Himmel heut nur qualmen,
Sind sie morgen wohl vom Feuer rot.

Feuer! Vorsicht, man legt Feuer.
Ein Atomminengürtel wird geplant.
Geht auf die Straße und schreit: Feuer!
Feuer, unsre Erde wird verbrannt!

Text: Gerd Semmer, nach einer Idee von Fasia Jansen
Melodie: Fasia Jansen

Als 1965 der Generalinspekteur der Bundeswehr, General Trettner, den Plan entwickelte, entlang der Grenze zur DDR und der Tschechoslowakei einen Atomminengürtel zu legen, gab es erhebliche Protestbekundungen unter der westdeutschen Bevölkerung.

Ostermarsch 1966 in Offenbach gegen den Vietnamkrieg und den Trettner-Plan. Foto: Wolfgang Breckheimer

Lebe glücklich

Lebe glücklich, lebe froh, lebe froh wie der Kö-nig Sa-lo-mo, ____ der auf sei-nem Stuh-le saß und ein Stückchen Kä-se aß. Le-be glücklich im-mer-dar ein-zeln und als E-he-paar, setz dich nie ins grü-ne Gras, wo kein Gei-ger-zäh-ler maß. Le-be glücklich hier und da oh-ne Preußens Glori-a. Wehrt euch oh-ne Un-ter-laß, al-le beis-sen sonst ins Gras. Spaß.

Lebe glücklich, lebe froh
Wie der König Salomo,
Der auf seinem Stuhle saß
Und ein Stückchen Käse aß.

Lebe glücklich immerdar
Einzeln und als Ehepaar,
Setz dich nie ins grüne Gras,
Wo kein Geigerzähler maß.

Lebe glücklich, lebe froh
Ohne Furcht und Risiko,
Lebe nach dem Augenmaß
Ohne Krebs und Knochenfraß.

Lebe glücklich, werde alt
Ohne Mantel aus Kobalt,
Ohne Gift und Nervengas,
Ohne Pest und Choleras.

Lebe glücklich hier und da
Ohne Preußens Gloria.
Wehrt euch ohne Unterlaß,
Alle beißen sonst ins Gras.

Lebe glücklich, werde alt,
Bis die Welt in Stücke knallt
(In zehn Milliarden Jahren).
Ohne dies und ohne das
Gibt es noch genügend Spaß.

Text: Gerd Semmer
Melodie: Dieter Süverkrüp

Unser Marsch ist eine gute Sache

Un - ser Marsch ist ei - ne gu - te Sa - che,
weil er für ei - ne gu - te Sa - che geht.
Wir mar - schie - ren nicht aus Haß und aus Ra - che,
wir er - o - bern kein frem - des Ge - biet.
Uns - re Hän - de sind leer, die Ver - nunft ist das Ge - wehr,
und die Leu - te ver - stehn uns - re Spra - che:

Unser Marsch ist eine gute Sache
Weil er für eine gute Sache geht.
Wir marschieren nicht aus Haß und aus Rache
Wir erobern kein fremdes Gebiet.
Unsre Hände sind leer,
Die Vernunft ist das Gewehr,
Und die Leute verstehn unsre Sprache:
  Marschieren wir gegen den Osten? Nein!
  Marschieren wir gegen den Westen? Nein!
  Wir marschieren für die Welt
  Die von Waffen nichts mehr hält.
  Denn das ist für uns am besten.

Wir brauchen keine Generale
Keine Bunker, kein Führerhauptquartier,
Der Lehrer wird zum Feldmarschalle,
Die Mütter die werden Offizier.
Der Monteur und der Friseur,
Der Student, der nicht mehr pennt,
Und der Maler, sie rufen euch alle:
  Marschieren wir gegen den Osten ...

Du deutsches Volk, du bist fast immer
Für falsche Ziele marschiert,
Am Ende waren nur Trümmer.
Weißt du heute, wohin man dich führt?
Nimm dein Schicksal in die Hand
Steck den Kopf nicht in den Sand
Und laßt euch nicht mehr verführen!
   Marschieren wir gegen den Osten ...

Text und Melodie: Hannes Stütz

Anti-Atoom Mars, 24. April 1966 in Brüssel. Foto: Wolfgang Breckheimer

Wir woll'n dazu was sagen

Alle haben Angst vor dem großen Knall,
Das ist doch klar.
Keiner will den Krieg, doch sie rüsten all,
Das ist doch wahr.

Uns geht es an den Kragen, oja
Wir solln die Folgen tragen, oja
Wir wolln dazu was sagen, oja
Auch wenn sie uns nicht fragen, oja.

Wenn man rüsten will, braucht man Geld wie Stroh,
Das ist doch klar.
Und das viele Geld fehlt dann anderswo,
Das ist doch wahr.
    Uns geht es an den Kragen, oja . . .

Wer den Frieden will, muß dafür was tun,
Das ist doch klar.
Darum gehen wir in der Welt herum,
Das ist doch wahr.
    Uns geht es an den Kragen, oja . . .

Denn der Groschen fiel noch nicht überall,
Das ist doch klar.
Darum warnen wir vor dem großen Knall,
Das ist doch wahr.
    Uns geht es an den Kragen, oja . . .

Wenn der Groschen fällt, fällt die Bombe nicht,
Das ist doch klar.
Wenn erst Frieden ist, wird es schöner sein
Als es je war.
    Uns geht es an den Kragen, oja . . .

Text: Gerd Semmer
Melodie: Dieter Süverkrüp

» . . . Presse, Schule, Kirche und die übrigen Institutionen, die dafür da
sind, nicht nur die Autorität der Macht, sondern ebenso und noch mehr
die Autorität der Wahrheit in den Völkern unerschüttert zu erhalten, sie
haben sich zum großen Teil politisiert, sie haben Position bezogen inner-
halb des Kalten Krieges. Sie bejahen die atomare Aufrüstung, verniedli-
chen die Gefahren der Bombe und verteidigen sie als nationale Notwen-
digkeit, sanktionieren sie sogar als ethisch einwandfreie Waffe . . .
Es gibt heute Stimmen, die es als ein Zeichen höchster moralischer Kraft
werten, wenn wir, um unsere politische Freiheit zu verteidigen, den unbe-
grenzten Atomkrieg bejahen, selbst wenn er den Untergang der Welt

nach sich zöge. ›Wir könnten dann sagen‹, so meint eine dieser Stimmen, ›daß Gott, der Herr, der uns durch seine Vorsehung in eine solche Situation hineinkommen ließ, wo wir dies Treuebekenntnis zu seiner Ordnung ablegen müßten, dann auch die Verantwortung übernimmt.‹ Das sind Worte des Jesuiten Grundlach. Ein Christ, ein Priester, ein Moraltheologe nennt also den Atomkrieg, den Christen gegen Nichtchristen eines Tages führen könnten: ein Treuebekenntnis zur göttlichen Weltordnung! Wir können hier nur schlicht feststellen: eine Theologie ohne Moral!«
(Stefan Andres, Rede zum Ostermarsch, 1960)

Berliner Polizei übt den bewaffneten Einsatz gegen Demonstranten. Es blieb nicht bei solchen Übungen: Am 11. Mai 1952 wurde bei einer Friedensdemonstration von 30 000 Menschen in Essen der Münchener Jungarbeiter Philipp Müller von der Polizei erschossen. Foto: National Archives

Der Polizei ein Osterei

Die Polizei marschiert an unsrer Seite,
Die Polizei, sie hat genau kapiert,
Die Polizei, sie gibt uns das Geleite,
Sie hat kapiert, wohin der Wahnsinn führt.

Der Polizei ein Osterei,
Die Polizei ist auch dabei,
Die Polizei dein Freund und Helfer,
Sie ist auch dieses Jahr dabei.

Die Polizei weiß, wenn die Bomben krachen,
Dann hat die Polizei auch keinen Zweck,
Dann hat die Polizei auch nichts zu lachen,
Denn dann sind alle Menschen einfach weg.
    Der Polizei ein Osterei...

Und ohne Menschen kann sie gar nichts machen,
Da gibt es auch die Polizei nicht mehr.
Und darum dürfen keine Bomben krachen,
Das zu kapieren, ist doch gar nicht schwer.
    Der Polizei ein Osterei...

So geht die Polizei an unsrer Seite,
Weil das ein jeder Mensch sofort kapiert,
Die Polizei, sie gibt uns das Geleite,
Sie hat kapiert, wohin der Wahnsinn führt.
    Der Polizei ein Osterei...

Text: Gerd Semmer
Melodie: Dieter Süverkrüp/Traditional

Anti-Vietnam-Aktion in Offenbach im Jahre 1965. Foto: Mateiko

Ostermarsch 1967

Wa - rum mar-schie-ren wir zu O - stern durch
Städ - te und Dör-fer, wo man, wir wis-sens gut,
uns oft emp - fängt als Ru - he - stö - rer?
Weil un - ser Ge - wis - sen auf - ge - wacht,
und wer - den wir auch aus - ge - lacht,
und nennt man uns auch To - ren –
wir schrei - ens in al - le Oh - ren: Wir sa-gen
Nein! Wir sa-gen Nein! Wir sa-gen Nein zu der
Bom-be! Wir sa-gen Nein! Wir sa-gen Nein!
Zum Le-ben in der Ka - ta - kom-be! Wir sa-gen Ja!

93

Wir sagen Ja! Wir sagen Ja – Ja zum Leben!
Weil dieses Leben uns zum Leben und nur
zum leben ward gegeben

Warum marschieren wir
Zu Ostern durch Städte und Dörfer,
Wo man, wir wissen's gut,
Uns oft empfängt als Ruhestörer?
  Weil unser Gewissen aufgewacht,
  Und werden wir auch ausgelacht,
  Und nennt man uns auch Toren –
  Wir schreien's in alle Ohren:
  Wir sagen Nein! Wir sagen Nein!
  Wir sagen Nein zu der Bombe!
  Wir sagen Nein! Wir sagen Nein!
  Zum Leben in der Katakombe!
  Wir sagen Ja! Wir sagen Ja!
  Wir sagen Ja – Ja zum Leben!
  Weil dieses Leben uns zum Leben
  Und nur zum Leben ward gegeben.

Das Leben lieben wir
Und sind nicht bereit zu krepieren
Auf Generals Befehl.
Drum soll unser Marsch alarmieren.
  Weil unser Gewissen aufgewacht...

Daß einmal kommt die Zeit,
Wo alle Menschen auf Erden
Dem Frieden singen ihr Lied! –
Dafür soll unser Marsch werben!
  Weil unser Gewissen aufgewacht...

Text und Melodie: Joe Mateiko

Joe Mateiko bei einer Ostermarsch-Veranstaltung in Hanau. Foto: Wolfgang Breckheimer

Luftschutz-Lied

Sehr schnell

Am
Leu - te, greift zur Feu - er - pat - sche,

stellt den Tü - ten - sand be - reit, ___ oh - ne

A7
daß ihr ___ es be - ach - tet, ___ ist schon

H7   Em *Fine*
wie - der ___ Luft - schutz - zeit. ___

C
Wie - der müßt ihr Vor - rat ham - stern: ___

C   G7
Sel - ters - was - ser, Ha - fer - schleim, ___

C   F
Luft - ma - trat - zen - gruft mit Ker - zen ___ schmückt den

C   G   C
Kel - ler wie ___ das   Heim. ___

Leute, greift zur Feuerpatsche,
Stellt den Tütensand bereit –
Ohne daß ihr es beachtet,
Ist schon wieder Luftschutzzeit.

Wieder müßt ihr Vorrat hamstern:
Selterswasser, Haferschleim,
Luftmatratzengruft mit Kerzen –
Schmückt den Keller wie das Heim.

Mut in Pillen, Luft in Dosen,
Schlau bedacht ist alles hier.
Wenn die Luft euch aber wegbleibt,
Dann seid doch die Dummen ihr.
Schwarze Herrenschokolade,
Wenn ihr reinbeißt, wenn es kracht,
Sollt ihr wissen, schwarze Herren
Haben dies für euch vollbracht.

Wieder müßt ihr euch luftschützen:
Himmel blau – und plötzlich rot;
Ohne daß sie es beachten,
Sind schon zehn Millionen tot.

Text: Gerd Semmer
Melodie: Dieter Süverkrüp

Bunker-Ballade

Im Hillbilly-Stil (Gitarre spielt doppeltes Tempo -Achtel-)

He Bil - ly, wir müs - sen un - sern Bun - ker baun,

denn wir kön - nen nicht mehr un - sern Her - ren traun.

Und da neh - men wir den Spa - ten, und wir

ge - hen in den Gar - ten, und wir

bud - deln und wir bud - deln und wir

bud - deln los, _____ und wir bud-deln uns ein Loch,

das wird rie - sen - groß. Und wir bud-deln uns ein Loch,

das wird rie - sen - groß. _____

He Billy, wir müssen unsern Bunker baun,
Denn wir können nicht mehr unsern Herren traun.
Und da nehmen wir den Spaten
Und wir gehen in den Garten
Und wir buddeln, und wir buddeln, und wir buddeln los
Und wir buddeln uns ein Loch, das wird riesengroß.

He Billy, unser Loch ist schon vier Meter breit,
Darum wird es aber jetzt für den Bunker Zeit.
Und da lassen wir ganz munter
Unsern Bunker da hinunter
Und wir buddeln, und wir buddeln, und wir buddeln zu
Und wir buddeln ihn ganz zu mit dem Gummischuh.

He Billy, in den Bunker muß ein Fernsehn rein,
Denn der Bunker soll gemütlich wie zu Hause sein.
Und da kommt das Televischen
Zwischen all den Kram dazwischen
In den Bunker mit dem Funker und Geklunker schön,
Und da können wir die Welt mal von unten sehn.

He Billy, in den Bunker muß ein Leukoplast,
Wenn du dich beim Rasieren mal geschnitten hast.
Und da ist man ganz verbittert,
Wenn man beim Rasieren zittert.
Wenn man schaukelt, wenn man gaukelt auf dem Schaukelstuhl,
In dem Bunker mit Geflunker wird dir schwül und schwul.

He Billy, gib doch mal das Schießeisen her,
Denn in unseren Bunker kommt uns keiner mehr,
Du sollst deinen Nächsten lieben,
Doch der Nachbar wird vertrieben:
In dem Bunker mit dem Funker wird die Luft so schlecht,
Darum greifen wir im Bunker zu dem Bunkerrecht.

He Billy, sag mal ehrlich, ist dies Leben schön?
Sag mal, Billy, dieses Leben, kannst du das verstehn?
Bei dem Kriechen in der Erden
Muß man ja zum Maulwurf werden,
Muß man schleichen wie die Leichen und erbleichen schier.
Darum Schluß mit dem Stuß – denn der Mensch ist kein Tier.

Text: Gerd Semmer
Melodie: Dieter Süverkrüp

Hundert Mann – gebt ihr Befehl

Irgendwo im fremden Land
Ziehen sie durch Stein und Sand
Fern von zu Haus und vogelfrei,
100 Mann – und ich bin dabei.

100 Mann und ein Befehl
Und ein Weg, den keiner will.
Tagein, tagaus, wer weiß, wohin?
Verbranntes Land, und was ist der Sinn?

Der Befehl, den einer gab,
War für 100 Mann das Grab.
Denkt immer dran, das muß nicht sein,
Denn 100 Mann sind nicht allein.

Schieb nicht die Schuld dem Schicksal zu.
Schicksal, das bin ich und du.
Drum 100 Mann gebt ihr Befehl,
Daß keiner tut, was Einer will!

Nehmt den Frieden in die Hand.
Gebt ihn auch dem armen Land,
Das bluten muß durch Onkel Sam: *Text: Hannes Stütz*
AMIS RAUS AUS VIETNAM!   *Melodie: bekannte Schlagermelodie*

Wolfgang Neuss und Joan Baez bei einer Ostermarsch-Veranstaltung
in Frankfurt. Foto: Wolfgang Breckheimer

Lagerlied

Du da, bist du der, den man um elf hier ein-ge-lie-fert hat? Wo-her kommst du, Neu-er? Sag zu al-ler-erst, aus wel-cher Stadt? Bist du Frie-dens-freund, Ge-werkschaftsführer, So-zi, Kommu-nist? O-der ha-ben sie er-fah-ren, daß du Bünd-nis-part-ner bist? Ach, du glaubst im Ernst, hier werde „Ka-ta-stro-phenschutz" ge-übt? Wel-ches Kä-se-blatt hat dir denn nur dein Au-gen-maß ge-trübt? Nimm den Man-tel, er ist üb-rig. Und der Nacht-wind geht sehr scharf hier im La-ger, wo man al-les sa-gen kann und soll und darf.

Du da, bist du der, den man um elf hier eingeliefert hat?
Woher kommst du, Neuer? Sag zuallererst, aus welcher Stadt?
Bist du Friedensfreund, Gewerkschaftsführer, Sozi, Kommunist?
Oder haben sie erfahren, daß du Bündnispartner bist? –
Ach, du glaubst im Ernst, hier werde »Katastrophenschutz« geübt.
Welches Käseblatt hat dir denn nur dein Augenmaß getrübt?
Nimm den Mantel, er ist übrig. Und der Nachtwind geht sehr scharf
Hier im Lager, wo man alles sagen kann und soll und darf.

Wie geht's draußen? Ist der Springer schon der Chef der Bundeswehr?
Sag uns alles! Viel zu selten kommen Nachrichten hierher.
Sag, vom illegalen Kampf – hast du da irgendwas gehört?
Gab es Siege? Ist zumindest schon die Sicherheit gestört?
Wie sieht's aus in den Betrieben? Sind die Arbeiter noch still?
Macht die blutverschmierte Herrschaft ungehindert, was sie will?
Mensch, wir sind auf jeden Satz, auf jedes Wörtchen von dir scharf
Hier im Lager, wo man alles sagen kann und soll und darf.

Der Latrinenchlorgeruch, der nur bei Südwind hierher dringt;
Der Insektenschwarm, der um die weißen Bogenlichter singt;
Das Geschrei aus der Baracke – darin ist das Lazarett –
Jedermann, der vom Verhör kommt, kriegt für einen Tag ein Bett
Der Gestank des kranken Nachbarn, der in Fieberträumen stöhnt ...
Das sind Sachen, daran haben sich die meisten schon gewöhnt.
Neuer, bleibe weg vom Drahtzaun! Unsre Wächter schießen scharf
Hier im Lager, wo man alles sagen kann und soll und darf.

Wenn die grünen Limonadenlichter ausgehn morgen früh,
Wenn der blaugeblümte Sommerhimmel aufzieht, kommen sie,
Die vom Selbstgeschutzkorps (aus Albernheit auch »das SS« genannt).
Einer zieht den großen Kreis mit einem Stecken in den Sand.
Und wir werden angetreten, einer von uns ausgewählt.
Der wird vor den Augen aller in den Kreis hineingestellt.
Und wir kriegen ringsum Noten, Zimbeln, Lauten, Flöt' und Harf',
Hier im Lager, wo man alles sagen kann und soll und darf.

Und dann müssen wir zur Freude der Bewacher musiziern,
Hinter abgegriff'nen Klimperdrähten singend protestier'n.
Der im Kreise, der muß tanzen – und verschnaufen darf er nicht,
Und wird erst beseitigt, wenn er rot und naß zusammenbricht.

Und wer rasend vor Empörung unsre Wächter überfällt,
Der wird, ehe sie uns Essen geben, an die Wand gestellt.
Die Gesetze sind sehr streng, die man uns hinterrücks entwarf
Für das Lager, wo man alles sagen kann und soll und darf.

Hinter Todeszäunen hocken nun gemeinsam unterm Wind:
Wir, die vorher nicht gemeinsam gegen Rechts gegangen sind.
Endlich haben wir die langersehnte Solidarität
Zwischen SPD und Roten – aber leider viel zu spät!
Zugegeben, dieses Liedchen sang nur einen bösen Traum.
Wie ersichtlich, liebe Hörer, glaubet ihr an Träume kaum.
Doch verlaßt euch drauf, die Furcht macht unsre alte Herrschaft scharf
Hier im Lande, wo man alles machen kann und will und darf.

Text und Melodie: Dieter Süverkrüp

Am 1. Mai 1953 demonstrierten die Kommunisten in München und in vielen
anderen Städten gegen die Absicht der Bundesregierung, Mitglied der
Europäischen Verteidigungsgemeinschaft zu werden. Die Demonstration
wird mit Wasserwerfern und gezogenen Waffen aufgelöst. Foto: UPI

103

**An alle schon jetzt – oder demnächst – enttäuschten SPD-Wähler;
nach der Verabschiedung der Notstandsgesetze zu singen**

Ich gratuliere euch zu den Gesetzen.
Ein jedes Volk bekommt, was ihm gebührt.
Das Spiel ist aus. Jetzt will ich nicht mehr hetzen.
Ihr werdet selber sehn, wohin es führt.

Weiß Gott, ihr habt's nun bald im Ernst zu tragen
Wofür die Schuld auf euer Konto geht.
Ich mag euch nicht einmal mein Beileid sagen,
Da ihr mit einem Fuß im Grabe steht.

Es ist nicht immer schön, recht zu behalten.
Mir ist in diesem Fall nicht wohl dabei.
Seit alters her bleibt alles hier beim alten.
Wenn man nicht weiß: wozu, ist man nicht frei!

Die Nacht kommt sehr, die Sonne wird schon kälter.
Ich schlachte jenes Bild noch einmal aus,
Das sagt, daß unser Land der Arsch der Welt wär!
Ich mache mich, vor's knallt, zum Loch hinaus.

Man kann sein Land nicht wie im Scherz verlassen,
Wenn die Gefahr am allergrößten ist.
Man kann nicht euch, nur eure Dummheit hassen,
Die aus den Händen eurer Schlächter frißt.

Noch hinter irgendwelchen Grenzen kauernd
Biet ich euch meine kleine Hilfe an.
Und lehnt ihr ab, verlegen und bedauernd;
Ich tue, was ich kann, wenn ich nur kann.

Text und Melodie: Dieter Süverkrüp

... und keiner geht hin

Lied vom sogenannten Frieden

Frieden hienieden soll immer von oben kommen
Kommt aber nicht von oben
Soviel wir auch den MEISTER loben

Frieden hienieden soll stets um unsre Seelen kreisen
Kreist aber nicht um unsre Seelen
Sooft es uns die Herren auch empfehlen

Und zwar daß wir vor unsrer eignen Tür
Den berühmten Besen schwingen
Dann wird schon der Friede in uns dringen
So zu uns leis wie jeder weiß
Wird dann der bekannte Engel durch die Stube fliegen
Und in uns den inn'ren Schweinehund besiegen

Ja Frieden hienieden soll tief
In unserm Innern wohnen
Wohnt aber nicht in unsrem Innern
Sooft uns die Apostel auch erinnern

Und zwar daß wir weil der Mensch kein Tier
Erstmal in der kleinsten Zelle beispielsweise
Der Familienhölle uns die Hände reichen
Dann wird schon der Satan aus dem Schornstein
Schleichen und zu uns leis wie jeder weiß
Wird dann eine unsichtbare Orgel plötzlich spielen
Und jeder wird den Frieden deutlich
In der Magengrube fühlen

Ja Frieden hienieden soll ganz von alleine kommen
Kommt aber niemals von alleine
Denn er hat zu kurze Beine

Also müssen wir uns Beine machen
Und den Herrn die sich ins Fäustchen lachen
In den orthodoxen Hintern treten
Wenn sie grade für den Frieden beten

Denn sie haben da so ein System
Das ist ihnen äußerst angenehm
Daß man ab und zu die Menschheit dezimiert
Damit man von dem Rest dann wieder profitiert

Und dann darf wieder Frieden
Hienieden unser Herz zu
Freudentränen rühren und das Volk
Kann seine Krüppel pflegen
Bis die Herrn sich's wieder
Anders überlegen

Drum hütet euch vor diesem Frieden
Hütet euch vor diesen Hunden
Die sich Mörder mieten
Daß die Dutschkes, Kings und
Kennedys verbluten
Die den Frieden nur für sich
Und ihresgleichen
Daß die Armen ärmer und die
Reichen reicher werden
Nur für sich erfunden

Doch Frieden hienieden
Soll endlich unser Frieden werden
Soll endlich mal von unten kommen
Mag das auch den hohen
Herrn nicht frommen
Denn wir sind aus Fleisch und Blut und nicht aus Lehm
Ja aus Fleisch und Blut und nicht aus Lehm
Aus Fleisch und Blut und nicht aus Lehm

Drum verändert das System
Drum verändert das System
Drum verändert das System
Drum verändert das System

(Hanns Dieter Hüsch)

Der Inkurable

Ich kann mir nicht helfen:
Ich fühl mich nicht wohl.
Ich weiß nun auch gar nicht,
Was ich noch machen soll.
Erst dacht ich, das gibt sich
So ganz von allein,
Dann nahm ich 'ne Pille,
Und danach nochmal neun.
Davon war mir noch übler,
Da fuhr ich zur Kur.
Dann dacht ich, die Sache
Sei mehr geistger Natur.
Drum las ich Gedichte,
Das hielt ich nicht aus,
Ich trat in 'ne Sekte
Und dann wieder raus.
Schließlich sagt' ich dem Erwin:
»Schau, du kennst meine Qual!
Du bist doch mein Freund:
Nun berat mich doch mal.«

»Och, ich weiß«, sprach der Erwin,
»Wovor du nur bangst:
Du hast unbewußt vorm
Kommunismus bloß Angst.
Da hilft eins nur
(Was Besseres gibt's heute kaum):
Geh doch hin und erbau dir 'nen Luftschutzraum!
So'n Schutzraum, das ist das Gebot unsrer Zeit!
Viel zu wenige Menschen erkennen das heut!
Doch wer klug ist und weiterdenkt, gräbt sich heute ein
Und ist frei von der Angst und vom Unwohlsein.
Du wirst sehn:
Das ist schön,
Dies Gefühl der gesicherten Sicherheit:
So ganz ohne Risiko
Wirst du deines Lebens wieder froh!
Und wenn die Bomben einst falln,
Na, das wird erst famos,
Denn da loderts und krachts
Bei den andern ja bloß!

Nur du sitzt gemütlich im Keller beim Bier
Und vielleicht hast du grad die Annette bei dir.«

Die Idee von dem Erwin
Hat mich interessiert.
Ich hab meinen Keller
Völlig ausbetoniert.
Dann mußt ich noch anbaun
Für die Zeiten der Not,
Nämlich für meinen Bäcker –
Schon wegen dem Brot.
Der hat auch Familie,
Die muß noch mit rein,
Und dann noch der Fleischer
Und zumindest ein Schwein
Und noch ein paar Kühe
Und 'ne Kleinigkeit Heu,
Na, und dann die Annette
Und die Eltern dabei –
Und noch deren Geschwister,
Bemannt und beweibt,
Weil ja sonst die Annette
Gar nicht erst bei mir bleibt.
Ach, so viele sind wichtig
Als Insassen des Baus!
Ich komm aus dem Bauen
Überhaupt nicht mehr raus.
Hätt mich damals der Erwin
Bloß nicht so verhetzt!
Damals fühlt ich mich unwohl,
Aber
Doch längst nicht wie jetzt!

Text: Walter Hedemann

Im Oberrieder Stollen in der Nähe von Freiburg, einem ehemaligen Eisenerzbergwerk, lagert 300 Meter unter gutem Schwarzwälder Granit des Schauinsland-Massivs eine geballte Ladung Kulturgut aus deutschen Landen: 240 Millionen Filmaufnahmen (35 mm), luftdicht verpackt in bisher 247 Stahlzylindern, klimatisiert eingelagert in zwei 550 Quadratzentimeter großen Kammern, unbegrenzt haltbar, »von einer Benutzung grundsätzlich ausgeschlossen« (Ministeriums-Richtlinie), nach dem nächsten Krieg im Bedarfsfall – hier fügt der jeweilige Gesprächspartner immer den Satz ein: »der hoffentlich nie eintreffen wird« – sofort zugriffsbereit.

Es ist das Ergebnis von 20 Jahren »Sicherungsverfilmung« – eines weiteren Versuchs, deutsche Kultur vor der Vernichtung zu bewahren. Die Urkunde Karls des Großen für das Kloster Reichenau aus dem Jahre 813 ist verfilmt und das Trierer Exemplar der »Goldenen Bulle« von 1356. Ganze Serien mittelalterlicher Urkunden, Handschriften, Amtsbücher über Zinsen, Abgaben und Steuern ruhen in dem Stollen und die kompletten Ratsprotokolle der Stadt Köln von 1308 bis 1798.

Die Gegenwart ist fast eingeholt von den Fotolaboranten in Stadtarchiven, Museen, den Hauptstaatsarchiven in den Ländern und dem Bundesarchiv in Koblenz. Die Akten aus Hitlers Reichskanzlei, aus dem Reichssicherheitshauptamt und dem Propagandaministerium des Joseph Goebbels sind auf Zelluloid gebannt. Und schon wird der Nachlaß Konrad Adenauers in Angriff genommen.

(Kölner Stadtanzeiger, Nr. 248/3 vom 24./25. Oktober 1981)

Veronika

Veronika, der Krieg ist da,
Komm raus, wir singen tralala,
Der Nachbar brennt schon lichterloh,
Da hinten flieht sein Bungalow,
Veronika, der Krieg ist da,
Schau her, das blitzt ja wunderbar,
In rot und gelb und blau,
Die Supermammutschau;
Verdammt, wo bleibt denn diese Frau?

Veronika, da ist er ja,
Der Herr Minister lebensnah,
Er hat vorzüglich mitgedacht
Und alles ins Archiv gebracht:
Den Kölner Dom, des Kaisers Bart,
Auf Photos sicher aufbewahrt.
Was alles abgebrannt
Ist später dann Bestand,
Naturgetreu im Disney-Land.

Veronika, nun wink noch mal,
Die Leut' vom Film, die sind noch da,
Das Ganze wird als Film gebracht,
Was man sich für 'ne Mühe macht.
Auch wenn wir gleich verdunstet sind,
Im Film, da sieht uns jedes Kind,
Ein jeder Westernheld
Hat Video bestellt,
Drum winkt noch mal dem Rest der Welt.

Text: Seminar AG-Song November 1981
Melodie: »Veronika, der Lenz ist da«

Lied vom letzten Dienstag

Herzlichen Glückwunsch, Herr Nachbar,
Daß wir alle noch leben,
Statt seit letzten Dienstag
An Kellerwänden zu kleben,
Sofern da noch Wände wären
In dem zerbombten Mist,
Und abkratzen würde uns niemand,
Weil alles abgekratzt ist.

Herzlichen Glückwunsch, Kollegin,
Schön, Sie wiederzusehn,
Wenn wir Dienstag abends
Zur Gewerkschaftssitzung gehn.
Ich glaube, wir haben den Meier
Jetzt davon abgebracht,
Zu meinen, daß unsere Rüstung
Die Arbeit sicherer macht.

Herzlichen Glückwunsch, he du da,
Mit der »Nein danke«-Plakette,
Die am Dienstag beinah
Der Schlag getroffen hätte.
Nun können wir weiterstreiten
Für friedliche Energie
Und über Gott und die Umwelt
Und Kern-Fragen der Theorie.

Herzlichen Glückwunsch, ihr Leute
In Moskau und Leningrad,
Daß eure Arbeit nicht plötzlich
Am Dienstag geendet hat.
Es bleibt euer Neunzehnsiebzehn,
Fünfjahrplan, Bolschoiballett,
Es bleiben eure Vorschläge
Betreffend den Frieden der Welt.

Herzlichen Glückwunsch, Experte
Der US-Computerzentrale,
Daß du letzten Dienstag,
Nicht rot sahst mit einem Male,
Daß dir die Sache doch spanisch,
Daß heißt amerikanisch vorkam,
So daß du rechtzeitig draufkamst:
Wieder mal blinder Alarm.

Herzlichen Glückwunsch, Mrs. Carter,
Die Chance ist gerettet,
Daß einst Ihren Gatten
Der Ruhm der Geschichte bettet.
Beinahe war's mit der Geschichte
Aus durch den Dienstag-Alarm,
Und damit Ihr Lebensabend
Daheim auf der Erdnußfarm.

Herzlichen Glückwunsch, Leute,
Der Schrecken ist abgeklungen,
Wir sind den Generalen
Noch mal von der Schippe gesprungen.
Wir sollten sie ab sofort nutzen,
Die neu gewonnene Zeit,
Daß nicht schon der nächste Dienstag
Der letzte Dienstag bleibt.

*Text: Olaf Cless * Melodie: Karl Adamek*

WENIGE MINUTEN SPÄTER...

6. Juni 1980 — 15.37 Uhr:

Der Zentralcomputer des amerikanischen Luftverteidigungssystems meldet Alarm: sowjetische Interkontinentalraketen sind im Anflug auf die USA. In sieben Minuten werden sie ihr Ziel erreichen. Umgehend werden alle Abschußbasen der amerikanischen atomaren Interkontinentalraketen in höchste Alarmbereitschaft versetzt.

15.38 Uhr:

Die amerikanischen Raketen sind startklar, die Besatzungen der ständig in der Luft befindlichen strategischen Atombomber der US Air Force haben über Funk ihre Angriffsbefehle mittels eines Geheimcodes erhalten.

15.39 Uhr:

Die strategischen Bombenkommandos fliegen mit zweifacher Überschallgeschwindigkeit auf ihre Ziele in der Sowjetunion und anderen osteuropäischen Ländern zu. Die Abdeckplatten über den Raketensilos sind bereits beiseite gefahren. Mit einem Knopfdruck können jetzt sämtliche Interkontinentalraketen losgefeuert werden.

15.40 Uhr:

Die Luftüberwachungsradaranlagen der USA geben negativen Bescheid — es sind keine Flugkörper auszumachen, die sich im Anflug auf die USA befinden.
Der Raketenalarm stellt sich als Fehlalarm auf Grund eines Computerdefektes heraus. Die Atombomber werden zurückbeordert. So lief sie, eine ganz normale Computerpanne (übrigens die dritte in sieben Monaten), die die Welt an den Rand eines Atomkrieges geführt hat. Wäre die Panne erst ein, zwei Minuten später entdeckt worden, dann wäre die unausbleibliche Gegenschlag der Sowjetunion als Antwort auf die herannahenden US-Flugzeuge eingeleitet worden. Etwa um **15.48 Uhr** wären über fast allen sowjetischen und osteuropäischen Großstädten und Militäranlagen die amerikanischen Atomsprengköpfe explodiert. Wenige Minuten später hätten dann die sowjetischen Bomben das ihrige in den USA und den westeuropäischen l ändern getan.

Quelle: IG-Metall-Flugschrift

Lied gegen die Neutronenbombe

Es geht durch die Welt ein Geflüster.
Arbeiter, hörst du es nicht?
Das sind die Stimmen der Kriegsminister.
Arbeiter, hörst du sie nicht?
Es flüstern die Kohle- und Stahlproduzenten;
Es flüstern Lockheed, Nobel-Dynamit,
Es flüstert von allen Kontinenten:
Die Welt braucht Waffen! Wir brauchen Profit!!
   Vorwärts Kollegen aller Nationen,
   Vorwärts, gebraucht eure Macht!
   Es wollen die Völker die Erde bewohnen,
   Die selbst sie bewohnbar gemacht.
   Brecht die Profitgier der Rüstungskonzerne,
   Daß nicht der Prolet den Proleten bekriegt!
   Es ist dann, Kollegen, der Tag nicht mehr ferne
   An dem das Leben die Bombe besiegt.

Arbeiter horch, sie ziehn ins Feld
Und schrein für Nation und Kasse!
Das ist der Krieg der Herrscher der Welt
Gegen die Arbeiterklasse.
Es sind die Waffen der Ausbeuterdrohnen,
Die Menschen vernichten – Maschinen verschonen.
Und der Krieg, der jetzt durch die Länder geht,
Ist der Krieg gegen dich, Prolet!
   Vorwärts Kollegen aller Nationen ...

Text: (eng angelehnt an den »Heimlichen Aufmarsch«
von Weinert/Busch)

Kriegsvoyeure

Gegen 19 Uhr warten wir immer auf den Krieg.
Meistens kommt er an zweiter Stelle von »Heute«
Und an dritter Stelle von der »Tagesschau«.
Der Krieg: Iran/Irak geht für meinen Geschmack
Schon etwas zu lange.
Eine Serie hat dreizehn Folgen.
Und dann sollte man wechseln.
Sonst glaubt man, der Mann am MG sei immer der gleiche.
Oder mal eine schöne Wiederholung bringen.

Mir tun ja die Leute leid,
Die hinter der Glasscheibe sterben,
Bloß damit wir fernsehen können.
Je größer der Bildschirm,
Um so größer unser Mitleid.
Wir haben schon viele Kriege beim Abendbrot gesehen.
Wir sehen einfach zu.

Wenn wir wissen, daß regelmäßig ein Krieg kommt,
Dann essen wir schon leichter,
Damit uns der Krieg besser bekommt.

Wenn es manchmal zu laut ist,
Stellen wir den Krieg einfach leiser.
Das ist das Schöne am Fernsehen.
Man kann ihn auch heller und dunkler stellen
Oder ihn einfach abschalten.
Aber wer macht das schon gerne.

Neulich war ich in der Küche
Und habe eine Tonstörung gehört.
Als ich ins Zimmer kam, war es ein Todesschrei.
Das menschliche Leid ist eine Frage
Der Bild- und Tonschärfe geworden.

Gestern stand der Krieg unentschieden.
Mal sehen, wer gewinnt.
Mir sind beide recht.
Ich hab' da keine Ressentiments.

Wenn ein Krieg gezeigt wird,
Meint man manchmal, das Bild ist zu rot.
Und ruft die Störungsstelle an.
Das Bild ist nicht zu rot.
Eine Stadt brennt.

Manchmal bin ich ganz froh,
Daß vor den Schüssen eine Trennscheibe ist.
Die Toten stinken nicht im Zimmer
Und man muß kein Blut vom Teppich waschen.
Das wäre nämlich eine Riesensauerei,
Wenn das alles auf den Teppich tropfen würde,
Was man auf dem Bildschirm sieht.
Dann würde ich mir keine Kriege mehr anschauen.

Kleinere, begrenztere Kriege sind für das Fernsehen besser.
Denn beim großen Knall sehen wir bestimmt nichts mehr.
Und bei der Neutronenbombe
Läuft höchstens noch der Apparat.
(Helmut Ruge)

Quelle: IG-Metall-Flugschrift

Aufstehn

Al - le, die nicht ger-ne In - stant-brühe trin-ken, sol-len
auf - stehn. Al - le, die nicht schon im Hirn nach De-o-spray
stin - ken, sol-len auf-stehn. Al - le, die noch wissen, was
Lie-be ist und al - le, die noch wis-sen, was Haß ist und
was wir krie-gen sol - len, nicht das ist, was wir
wol - len, sol-len auf-stehn!

Refrain
Es gibt so vie-le, die wie du auf bess - re Zei-ten war-ten, wo
kei - ner sich mehr Angst vor Mor-gen macht, a - ber un-ser
Mor - gen - rot kommt nicht nach ei - ner durch-ge-schlaf-nen
Nacht. Wir träu-men von 'ner Re - vo - lu - tion

117

Alle, die nicht gerne Instantbrühe trinken,
Sollen aufstehn.
Alle, die nicht schon im Hirn nach Deospray stinken,
Sollen aufstehn.
Alle, die noch wissen, was Liebe ist und
Alle, die noch wissen, was Haß ist und
Was wir kriegen sollen, nicht das ist,
Was wir wollen,
Sollen aufstehn!

Alle, die nicht schweigen, auch nicht, wenn sich Knüppel zeigen,
Soll'n aufstehn.
Die zu ihrer Freiheit auch die Freiheit ihres Nachbarn brauchen,
Soll'n aufstehn.
Alle, für die Nehmen schon wie Geben ist
Und Geld verdienen nicht das ganze Leben ist,
Die von ihrer Schwäche sprechen und sich kein' dabei abbrechen,
Soll'n aufstehn.

Es gibt so viele, die wie du auf beßre Zeiten warten,
Wo keiner sich mehr Angst vor Morgen macht,
Aber unser Morgenrot kommt nicht nach einer durchgeschlafnen
     Nacht.
Wir träumen von 'ner Revolution hier,
Doch wer will schon, daß dabei Blut fließt.
Wenn du dich da ganz mitbringst,
Mag sein, daß es gelingt,
Dich ganz und deinen Traum mitbringst,
Mag sein, daß es gelingt.

Alle, die gegen Atomkraftwerke sind,
Soll'n aufstehn.
Die Angst vor Plastikwaffen haben in der Hand von einem Kind,
Soll'n aufstehn.
Alle, die ihr Unbehagen immer nur im Magen tragen,
Nicht wagen, was zu sagen,
Nur von ihrer Lage klagen,
Soll'n aufstehn.

Alle Frauen, die nicht auf zu Männern schauen,
Soll'n aufstehn.
Alle Lohnempfänger, die den Bund nicht länger enger schnall'n,
Soll'n aufstehn.
Alle Schwulen, die nicht um Toiletten buhlen,
Soll'n aufstehn.
Alle Alten, die sich nicht für ihre Falten schämen,
Soll'n aufstehn.
Alle Menschen, die ein besseres Leben wünschen,
Soll'n aufstehn.

   Es gibt so viele ...

Text: H. Sanders, dt. Nachdichtung: Lerryn (Diether Dehm)/G. Wallraff
Melodie: H. Sanders/»bots«

Entrüstung

medium Rock

Die al-ten, kal-ten
Sie woll'n bei uns Ra-

Herrn des Wil-den We-stens woll'n
ke-ten sta-tio-nie-ren, so

kei-nen Krieg so dicht vor ih-rer Tür. Die
wer-den wir zum Ziel-ge-biet er-klärt. Je-de

Ko-lo-nie Eu-ro-pa macht sich be-stens,
Welt-macht kann die Welt zehn-mal zer-stö-ren

da kann man es viel-leicht ja mal ris-
und schreit: die an-dre kann es a-ber ein-mal

kiern. Nach dem zehn-fa-chen O-ver-kill liegt
mehr.

al-les strah-lend da und still. So-lang noch Zeit ein

Mensch zu sein, woll'n wir es laut und lau-

ter schrein: Das ist Ent - rü - stung, das ist Ent -
rü - stung, wir ham die Schnauze voll. Das ist Ent -
rü - stung, das ist Ent - rü - stung, weil wir
oh - ne Waf - fen Frie - den schaf - fen wolln.

Die alten kalten Herrn des Wilden Westens
Wolln keinen Krieg – so dicht vor ihrer Tür,
Die Kolonie Europa macht sich bestens,
Da kann man es vielleicht ja mal riskiern.

Sie wolln bei uns Raketen stationieren,
So werden wir zum Zielgebiet erklärt,
Jede Weltmacht kann die Welt zehnmal zerstören
Und schreit: die andre kann es aber einmal mehr.

Nach dem zehnfachen Overkill
Liegt alles strahlend da und still.
Solang noch Zeit ein Mensch zu sein,
Wolln wir es laut und lauter schrein:
  Das ist Entrüstung – das ist Entrüstung,
  Wir ham die Schnauze voll
  (Weil kein Krieg mehr kommen soll),
  Das ist Entrüstung – das ist Entrüstung,
  Weil wir ohne Waffen Frieden schaffen wolln.

Es werden Wesen tief in unserer Erde wohnen,
Vorn wie ein Baby, hinten wie ein Wurm,
Das sind dann die Neutronen-Mutationen,
Die große Ruhe nach dem Todessturm.

Text: G. Wallraff, D. Hildebrandt/H. D. Hüsch/Lerryn (Diether Dehm)
Melodie: Hans Sanders/»bots«

© Hans Traxler

Das weiche Wasser

Refr: Es reißt die schwer-sten Mau-ern ein und sind wir schwach und sind wir klein, wir wol-len wie das Was-ser sein: das wei-che Was-ser bricht den Stein. Die Bom-be, die kein Le-ben schont, Ma-schi-nen nur und Stahl-be-ton, hat uns zu ei-nem Lied ver-eint: das wei-che Was-ser bricht den Stein.

Europa hatte zweimal Krieg,
Der dritte wird der letzte sein,
Gib bloß nicht auf, gib nicht klein bei:
Das weiche Wasser bricht den Stein.

Die Bombe, die kein Leben schont,
Maschinen nur und Stahlbeton,
Hat uns zu einem Lied vereint:
Das weiche Wasser bricht den Stein.
   Es reißt die schwersten Mauern ein
   Und sind wir schwach und sind wir klein,
   Wir wollen wie das Wasser sein:
   Das weiche Wasser bricht den Stein.

Raketen stehn vor unsrer Tür,
Die solln zu unserm Schutz hier sein,
Auf solchen Schutz verzichten wir:
Das weiche Wasser bricht den Stein.
   Es reißt die schwersten Mauern ein . . .

Die Rüstung sitzt am Tisch der Welt
Und Kinder, die vor Hunger schrein,
Für Waffen fließt das große Geld:
Doch weiches Wasser bricht den Stein.
   Es reißt die schwersten Mauern ein . . .

Komm feiern wir ein Friedensfest
Und zeigen, wie sich's leben läßt.
Mensch! Menschen können Menschen sein:
Das weiche Wasser bricht den Stein.
   Es reißt die schwersten Mauern ein . . .

Text: G. Wallraff/D. Hildebrandt/H. D. Hüsch/Lerryn
Melodie: Traditional/Hans Sanders/»bots«

Der Traum vom Frieden

und be - freit von Fol - ter, Haß und Völ - ker -
mord für jetzt und al - le Zeit.

Ich sah heut nacht im Traum vor mir
Ein endlos weites Feld.
Millionen Menschen sah ich dort
Aus allen Ländern der Welt.
Ich sah im Traum die ganze Menschheit
Einig und befreit
Von Folter, Haß und Völkermord
Für jetzt und alle Zeit.

Ich sah im Traum dies Menschenheer
Bewaffnet wie zur Schlacht.
In dichten Reihen aufgestellt
Vor einem großen Schacht.
Und auf ein Zeichen warfen sie
All ihre Waffen ab,
Granaten, Bomben stürzten
Tausend Meter tief hinab.

Bald war der Schacht gefüllt mit
Kriegsmaschinen bis zum Rand,
Und Menschen aller Rassen standen
Lächeln Hand in Hand,
Und jeder träumt den Traum vom Frieden
Und es kommt die Zeit,
Dann wird wie jeder Menschheitstraum
Der Frieden Wirklichkeit.

Text: Hannes Wader
Melodie: Ed McCuraly »Strangest Dream«

Ansprache an meinen Sohn

Du hast es gut, darfst deine Tränen zeigen,
Dir sagte man noch nie, ein Junge weint doch nicht.
Man sagt dir nie, wenn sie ins Auge steigen,
Halt sie zurück, ein deutscher Mann wahrt sein Gesicht.

Schau, man hat mich von Kindheit an erzogen
Zum harten deutschen Jungen, der ich niemals war,
Und mir damit mein Inneres verbogen,
Der Rest von Logik, der mir blieb, macht mir das klar.

Man hat mich, wie so viele, oft geschlagen,
Gesagt, das stählt nun mal den Körper und den Geist,
Und so ist wohl in jenen Kindertagen
Der Platz, wo das Gefühl wohl sitzen soll, verwaist.

Und ich begann zu hassen, statt zu lieben,
Das einzige Gefühl, das ich derzeit besaß,
Doch ist zum Glück nicht viel davon geblieben,
Wie gut, daß ich die bösen Dinge schnell vergaß.

Ich will versuchen, dich zu nichts zu zwingen
Und hoffe, du erkennst bald selbst, was wirklich zählt,
Zum Lob der Götter brauchst du nie zu singen,
Die sich nicht einmal wenigstens dir vorgestellt.

Ich lernte früh mein Inneres zu zügeln,
Gott – Ehre – Vaterland, so hat man mir gesagt,
Das müßte man mir in den Schädel prügeln,
Zu widersprechen hab' ich damals nicht gewagt.

Doch meinem Kind soll das nicht widerfahren,
Es soll die Welt erleben, völlig ohne Zwang,
Doch weiß ich frühestens in ein paar Jahren,
Ob mir bei meinem Sohn das wirklich auch gelang.

Fällst du mal hin und stößt dir deine Beine,
So tut das weh, du wirst deshalb nicht ausgelacht,
Und tu, was ich nicht durfte, Junge, weine,
Komm her und wein' dich aus, solang' das Freude macht.

Text und Melodie: Knut Kiesewetter

Die Kantate »de minoribus«

Kriege lassen sich nicht vermeiden.
Kriege sind Stürme wie der Taifun.
Katastrophen machen bescheiden.
Bete, wer kann! Er ist zu beneiden.
Der Mensch muß leiden. Er kann nichts tun.

Was nützt da Vernunft? Was helfen Choräle?
Kriege sind Stürme wie der Taifun.
Stürme erteilen sich selbst die Befehle.
Das ist auch die Ansicht der Generäle.
Was nützen Verträge? Was helfen Choräle?
Der Mensch muß leiden. Er kann nichts tun.

Kriege lassen sich nicht verhindern.
Kriege sind Stürme wie der Taifun.
Doch da ruft es aus tausend Mündern:
»Was wird das nächste Mal aus den Kindern?«
Kriege lassen sich nicht verhindern.
»Was aber wird aus den Kindern? Nun?«

So begab es sich, daß man am Weihnachtstage des Jahres 1950 nach Christi Geburt Frauen und Männer, und es waren die Besten, zusammentraten und Rat hielten. Und sie, die sich selber aufgegeben hatten, gründeten einen in den Registern einzutragenden uneigennützigen Verein. Sie nannten ihn »Rettet die Kinder!« und erwirkten in der Folge, daß alle Regierungen der Erde ihn anerkannten und feierlich versprachen, ihn, gemäß den Satzungen der Genfer Konvention, zu achten. Dem Haager Gerichtshof wurde schließlich – noch dazu einstimmig, was selten ist – das Urteilsrecht in Streitfällen überantwortet.

Es war ein guter Plan. Und da gute Pläne einfach sind, war's ein einfacher Plan. Wenn Vater und Mutter sich streiten, schickt man die Kinder aus dem Zimmer. Diese Methode, die sich bewährt hat, übertrug man entschlossen ins Große. Jede Regierung suchte, fand und markierte ein angemessenes Areal, sei's eine Insel, sei es ein fruchtbarer Bezirk im Innern des Landes und fern der Heerstraßen. Diese Gebiete erhielten die Bezeichnung »Kinderzonen« und wurden auf allen Generalstabskarten mit dem Vermerk »Unantastbar« versehen.

In summa läßt sich behaupten:

Woran die Völker auch glaubten,
An Mohammed, Buddha, den Christ oder Marx
Und den Sieg der Arbeiterklasse –
Sie alle erstellten Naturschutzparks
Zur Erhaltung der menschlichen Rasse.

Und es schrieb eine Frau aus Kevelaer:
»Sie wissen, wie Mütter sind!
Mein Junge ist zwar schon achtzehn Jahr –
Doch ich bitte euch ...
Ich bitt euch ...
Rettet!
Rettet!
Ich bitt euch: Rettet mein Kind!«

Die Frage, wann der Mensch aufhöre, ein Kind zu sein, wurde von Haag dahin beantwortet, daß die Kindheit mit dem dreizehnten Jahr ende. Dies entspreche etwa dem Beginn der körperlichen Reife. Außerdem sei erwiesen, daß Vierzehnjährige schon recht gut mit automatischen Leichtmetallwaffen umzugehen verstünden. Mütteraufstände wurden niedergeschlagen.

Sodann begannen die Völker, die Kinderzonen mit der gebotenen Eile herzurichten. Drei Planjahre genügten. Siedlungen, Schulen, Versorgungslager, Kirchen, Viehfarmen, Elektrizitätswerke, Tempel, Textilfabriken und Krankenhäuser wuchsen, schneller als Bohnen, aus dem verbrieften Boden. Einige hundert Erwachsene wurden ins Kinderland abgestellt: im letzten Krieg erblindete Lehrer, einbeinige Ärzte, Beamte mit Prothesen statt Armen, in Straflagern verkrüppelte Priester – untaugliche Leute für harte Zeiten.

Man hatte versucht, an alles zu denken, und man hatte an alles gedacht. Nun konnte, wenn's schon sein mußte, die Katastophe kommen.

Und die Katastrophe kam!

Was hilft es, daß ich Ihnen erzähle,
Was damals in jener Nacht geschah?
Sämtliche Sender erteilten Befehle.
Sirenen heulten aus voller Kehle.
Das große Abschiednehmen war da.

Soldaten trieben die Kinder wie Herden
In Schiffe und Güterzüge hinein.
Sie schlugen um sich, gleich scheuen Pferden.
Sie wollten gar nicht gerettet werden!
(Sie waren noch dumm. Denn sie waren noch klein.)

Es gab auch Fraun, die ihr Jüngstes versteckten.
Sie glaubten im Ernst, ihr Herz sei im Recht.
Die Suchkommandos aber entdeckten
Alle Verstecke und alle Versteckten.
(Ein paarmal kam es zum Feuergefecht.)

Im großen ganzen ging's aber im guten.
Und man verlor nicht einmal viel Zeit.
Mit einer Verspätung von zwanzig Minuten
Nahmen die Schiffe den Kurs durch die Fluten
Und brachten die Frachten in Sicherheit.

Vor den Häusern gehen Wachen.
Und die Wiegen stehen leer.
Kinderweinen, Kinderlachen
Sind vorbei und lange her . . .

Mond und Sonne werden scheinen.
Und die Wiegen stehen leer.
Kinderlachen, Kinderweinen
Sind vorbei und lange her . . .

Viel Zeit zum Nachtrauern blieb den Zurückbleibenden nicht. Die Gasmasken wurden ausgegeben. Die Geigerzähler, die Eiserne Ration, die Zyankalikapseln und die Bakterienminen wurden verteilt. Desgleichen das im Frieden geheimgehaltene Verhütungsmittel X 4. Denn Lust ist unverbietbar, auch wenn der Tod auf die Uhr blickt. Doch in seiner Gegenwart Kinder zu zeugen, galt als Sünde. – Als man dann die Türen der Bleitürme öffnen wollte, fiel die erste Bombe aus dem leeren Himmel. Da steckte der Tod die Uhr in die Tasche.

Was nun folgte, wissen Sie. Ich spare mir die Mühe. Zu erwähnen wäre allenfalls, wie zäh die Völker waren. Sie widerstanden den wissenschaftlichen Formeln länger, als man vorher vermutet und in den Laboratorien errechnet hatte. Nach drei Jahren lebten noch über zweihundert Millionen Menschen, gemessen an den Vorhersagen ein ansehnlicher Prozentsatz. Freilich kamen auch sie nicht davon. Denn die Felder waren vergiftet, und die Tiere in Stall und Wald fielen um. Ob man sie schlachtete oder nicht, ob man Brot buk oder es ließ, man starb an beidem. Man hatte die Wahl.

Man starb nicht eben »in Schönheit«. Wissen Sie, was Mutationen sind? Wer, im Schatten des zehntausend Meter hohen, glühenden, qualmenden Atompilzes, mit dem Leben davongekommen war, begann sich zu verändern. Der Körper fing an, mit sich selber zu spielen. Sinnlos und widerlich. Die Ohren schossen ins Kraut. Die Arme schrumpften wie Gras im Hochsommer. Der Rücken trieb Knollen, als trüge man Kohlensäcke.

So schleppten sich die Überlebenden über die Berge. So ruderten sie, Männer und Frauen, übers Meer. Den seligen Kinderinseln entgegen. So knieten sie vor den Wachttürmen und schrien: »Jimmy!« und »Aljoscha!« und »Waltraud!« Man mußte sie totschlagen. Aus sanitären Gründen. Ihr trauriges Ende war unvermeidlich. Sie hatten die Kinder gerettet, ohne an die Menschen zu glauben. Das war ihr frommes Verbrechen.

Das war's, was sich dereinst begab.
So sieht die Welt von morgen aus:
Halb Massengrab, halb Waisenhaus.
Halb Waisenhaus, halb Massengrab.

Ich habe Angst.
Man darf nicht länger säumen.
Komme, was mag – mein Kind gehört zu mir.

War's nur geträumt? Dann laßt uns öfter träumen.
Dann wissen Träume mehr von uns als wir.

Wir haben's weit gebracht.
Die Menschheit stirbt modern.

Ich hab einmal gedacht,
Die Erde sei – ein Stern ...

(Erich Kästner)

Liebeslied einer Mutter

Mein Kind, mein Kind,
Ich hab für dich dies kleine Lied geschrieben.
Du weißt noch nichts vom Traurigsein,
Du weißt noch nichts vom Lieben.
Die Erde ist so groß,
Für sie bist du zu klein,
Auf dieser Welt wird wohl für dich
Kaum Platz zum Leben sein.

Mein Kind, ich liebe dich
Und kann dir doch nichts geben,
Auch mir fehlt die Geborgenheit,
Um ohne Angst zu leben.
Dein Schrei wird untergehn,
Denn niemand will ihn hören,
Dein Lachen wird man übersehn,
Es wird die anderen stören.

Mein Kind, hab' keine Angst,
Dir kann ja nichts geschehen,
Du hast das grelle Licht der Welt
Bis heute nicht gesehen.
Und gibt es wirklich Menschlichkeit,
Dann wird mich niemand zwingen
Verantwortungslos zu sein und dich
Auf diese, diese Welt zu bringen.

Text: Susan Aviles
Melodie: Peer Raben

Alexander Lipping bei einer Friedensveranstaltung vor dem Münchner
Rathaus. Foto: F. Bernau

Denkbar ist aber auch immer noch

Denkbar ist aber auch immer noch,
Daß,
Nachdem
Diesen abgebliebenen Rest
Die Armada
Der glänzenden, glatten
Und superschlanken
Missiles called Pershing
Fullspeed
Verließ,

Und nachdem,
Großzügig geschätzt
17 Minuten später,
Über dem abgebliebenen Rest
Der Regen aus Asche
Nachließ,
Und nachdem

Durch diese
Alles bedeckende Schicht
Aus Asche
Zu Asche
Ein eulenäugiges Sucherrohr
Stieß

Sieben mal sieben Klafter
Unter der Erde
Im strahlen- und kugelsicheren Bunker
Der Kommandant
Die Arme vom Drehbalken am Okular nimmt,
Mit der Rückhand
Den Staub von der Hose am Knie schlägt,
Die Mütze aufsetzt
Und
Zu den Anwesenden hingewandt,
Möglicherweise sogar bestürzt
Sagt:
Tja, das war es denn wohl, meine Herrn.

(Franz Josef Degenhardt)

Wo soll ich mich hinwenden

Wo soll ich mich hinwenden
In dieser schlechten Zeit?
An allen Orten und Enden
Stehn Bomben schon bereit.
Atom- und Strahlentod
Die ganze Welt bedroht.
Wenn heut ein schwacher Frieden
Ist morgen Krieg und Tod.

Wo soll ich mich hinwenden
Wenn ich den Frieden will?
Wo sind die richtigen Freunde
Für solch ein großes Ziel.
Es sind der kleine Mann
Und seine Frau voran.
Nur wer durch Kriege reich bleibt
Nicht mit uns gehen kann.

Wo soll ich mich hinwenden,
Wenn sich mein Freund verkriecht?
Bei Worten läßt's bewenden
Aus Angst vor Druck, aus Pflicht.
Für Frieden demonstrieren,
Das will er nicht riskieren.
Wie weit ist's schon gekommen,
Daß sowas kann passieren.

Wo soll ich mich hinwenden?
Mein Freund! Komm mit! Du mußt!
Ganz Deutschland weinte schon einmal:
»Wir haben nichts gewußt«.
Heut bringen wir ans Licht:
Wenn bald ein Krieg ausbricht
Dann gibt es keinen Menschen mehr,
Der sagt, ich wußt' es nicht.   *Text und Melodie: Karl Adamek*

Der Frieden ist ein kleines Kind

Der Frieden ist ein kleines Kind,
Das sitzt in einem Baum,
Es möcht im freien Himmel wohnen,
Da fühlt es sich zu Haus.

Der Frieden ist ein junges Mädchen,
Das liest in einem Buch,
Weiß noch nicht alles, was es wissen will,
Doch einmal wird es klug.

Der Frieden ist ein junger Mann,
Der lebt nicht gern allein,
Er wünscht sich Freunde und ein Kind,
Mit dem er leben kann.

Der Frieden ist ein Liebespaar,
Das hat sein Brot geteilt,
Hat keiner keinem weggenommen,
Zum Schenken war viel Zeit.

136

Der Frieden ist ein Mütterchen,
Hat nie ein Kind gehabt,
Doch viele Menschen haben zu ihr
Mütterchen gesagt.

Der Frieden ist ein alter Mann,
Der hat schon lang gelebt,
Er freut sich auf ein anderes Haus,
In Ruhe will er gehn.

Der Frieden ist ein starker Mann,
Der hat zu viel getragen,
Ich hab ihn ein Stück mitgenommen
Auf meinem kleinen Wagen.

Der Frieden ist die Nachbarin,
Die meinen Zank vergaß,
Sie hat mir roten Mohn geschenkt,
Weil ich nicht glücklich war.

Der Frieden bin ich selber bald,
Was hast du mir getan,
Ich werf die Waffen in den Wind
Und geh durch deine Wand.

Text und Melodie: Angi Domdey

Gleichgewicht

Ich habe mir gestern eine Eisenstange gekauft. Weil mein Nachbar zur
Rechten auch eine Eisenstange gekauft hat. Und manchmal damit meiner
Tochter nachstellt. Jetzt fuchtele ich mit unserer Eisenstange immer sei-
nem Sohn vor der Nase herum. Schlimmes kann also gar nicht passieren.
Gut, seine Eisenstange ist zwar etwas schwerer, dafür ist meine etwas grö-
ßer. Aber das Gleichgewicht, das Gleichgewicht des Schreckens ist ge-
wahrt. Wir grüßen uns auch jetzt immer freundlich mit Grüß Gott und mit
geballter Faust natürlich. Aber friedlich. Wir haben übrigens auf dem
Speicher gut versteckt 20 hautscharfe Rasiermesser bereitliegen. Mein
Nachbar sagte, er habe nur 19. Für mich heißt das, daß er 21 hat. Wir las-
sen uns nicht übers Ohr barbieren.
Mein Sohn bringt jetzt aus der Schweiz zwei nagelneue Rasiermesser mit.
Denn keiner soll mehr haben als der andere. Nur immer ein bißchen. Die
Leute über uns arbeiten mit kochend heißem Teer. Und horten Federn

von wegen teeren und federn. Was ja in Amerika schon lange sehr beliebt ist. Sie haben schon die ganze Wohnung mit großen Bottichen voll kochend heißem Teer. Weil direkt gegenüber von ihnen werden auch laufend Teer und Federn angeliefert.

Nicht, daß das alles zur Anwendung kommt, beileibe mitnichten. Nur damit alle ungefähr das gleiche haben und so unsere uralten Aggressionstriebe im Zaum gehalten werden.

Ich habe zwar neun Jahre humanistische Bildung und Erziehung genossen. Die Zehn Gebote immer schön auswendig gelernt und immer schön behalten, und ich bin ja auch konfirmiert worden und mit abendländischer Kultur vertraut.

Aber in Wirklichkeit bin ich immer noch ein regelrechter Barbar. Stehe ganz am Anfang und muß also dankbar sein für das Gleichgewicht des Schreckens, denn wer weiß, was für ein Mörder in mir und in dir steckt.

Mein Untermieter nennt seit einer Woche zwei Daumenschrauben sein eigen. Hat er aus dem Foltermuseum in Rothenburg ob der Tauber mitgehen lassen. Weil der Untermieter im Haus gegenüber hat auch zwei Daumenschrauben, mit denen geht er abends in seine Stammkneipe. Seit der Zeit gibt's dort keine Schlägerei mehr.

Ich will mit meiner Tochter im Frühjahr eine Do-it-yourself-Guillotine basteln, weil mein Nachbar zur Linken schon seit längerer Zeit mit seiner Frau an einem elektrischen Stuhl baut.

Aber wir sind alle friedliebende Menschen, und so kann gar nichts passieren. Und wenn, dann wär ja schon längst was passiert. Nur Pazifisten, die sollte man jetzt genauer beobachten und gleich kasernieren, die wollen doch tatsächlich Frieden ohne Waffen machen. Einfach so. Als wenn das so ginge. Schwache Menschen sind das. Muttersöhnchen. Wir müssen uns doch heute alle dazu bekennen, daß wir eigentlich alle Mörder sind. Aber es nicht dazu kommen lassen müssen, brauchen, sollen, dürfen, weil wir Gott sei Dank das schöne Gleichgewicht des Schreckens erfunden haben.

Wenn das kein Humanismus ist, dann will ich Apel heißen.

(Hanns Dieter Hüsch)

Das letzte Kapitel

Am 12. Juli des Jahres 2003
Lief folgender Funkspruch rund um die Erde:
Daß ein Bombengeschwader der Luftpolizei
Die gesamte Menschheit ausrotten werde.

Die Weltregierung, so wurde erklärt, stelle fest,
Daß der Plan, endgültig Frieden zu stiften,
Sich gar nicht anders verwirklichen läßt,
Als alle Beteiligten zu vergiften.

Zu fliehen, wurde erklärt, habe keinen Zweck.
Nicht eine Seele dürfe am Leben bleiben.
Das neue Giftgas krieche in jedes Versteck.
Man habe nicht einmal nötig, sich selbst zu entleiben.

Am 13. Juli flogen von Boston eintausend
Mit Gas und Bazillen beladene Flugzeuge fort
Und vollbrachten, rund um den Globus sausend,
Den von der Weltregierung befohlenen Mord.

Die Menschen krochen winselnd unter die Betten.
Sie stürzten in ihre Keller und in den Wald.
Das Gift hing gelb wie Wolken über den Städten.
Millionen Leichen lagen auf dem Asphalt.

Jeder dachte, er könne dem Tod entgehen.
Keiner entging dem Tod, und die Welt wurde leer.
Das Gift war überall. Es schlich wie auf Zehen.
Es lief die Wüsten entlang. Und es schwamm übers Meer.

Die Menschen lagen gebündelt wie faulende Garben.
Andre hingen wie Puppen zum Fenster heraus.
Die Tiere im Zoo schrien schrecklich, bevor sie starben.
Und langsam löschten die großen Hochöfen aus.

Dampfer schwankten im Meer, beladen mit Toten.
Und weder Weinen noch Lachen war mehr auf der Welt.
Die Flugzeuge irrten, mit tausend toten Piloten,
Unter dem Himmel und sanken brennend ins Feld.

Jetzt hatte die Menschheit endlich erreicht, was sie wollte.
Zwar war die Methode nicht ausgesprochen human.
Die Erde war aber endlich still und zufrieden und rollte,
Völlig beruhigt, ihre bekannte elliptische Bahn.

(Erich Kästner)

In den guten alten Zeiten

Dort am Süd - rand - kra - ter, hin - ten an der Zwi-schen-kie-fer - wand, wo im letz - ten Jah - re noch das Pär - chen Brenn - nes-seln stand, wo es im - mer, wenn der Mond sich ü - ber - schlägt, so gel - lend lacht, drü - ben haust in ei - nem Pan - zer aus der al - ler - letz - ten Schlacht, je - ner Kerl mit lau - ter Haa - ren auf dem Kopf und im Ge - sicht, zu dem, wenn es Neu-mond ist, un - ser gan - zer Stamm hin - kriecht. Je - ner schlägt ein In - stru-ment aus hoh-lem Holz und Sta - chel-draht und er - zählt da - zu, was

frü - her sich hier zu - ge - tra - gen hat in den
gu - ten al - ten Zei - ten, in den gu - ten al - ten
Zei - - - - - ten.

Dort am Südrandkrater, hinten an der Zwischenkieferwand,
Wo im letzten Jahr noch das Pärchen Brennesseln stand,
Wo es immer, wenn der Mond sich überschlägt, so gellend lacht,
Drüben haust in einem Panzer aus der allerletzten Schlacht
Jener Kerl mit lauter Haaren auf dem Kopf und im Gesicht,
Zu dem, wenn es Neumond ist, unser ganzer Stamm hinkriecht.
Jener schlägt ein Instrument aus hohlem Holz und Stacheldraht
Und erzählt dazu, was früher sich hier zugetragen hat
In den guten alten Zeiten, in den guten alten Zeiten.

Damals konnte der, der wollte, auf den Hinterkrallen stehn.
Doch man fand das Kriechen viel bequemer als das Aufrechtgehn.
Der Behaarte sagt, sie seien sogar geflogen, und zwar gut.
Aber keiner fand je abgebrochne Flügel unterm Schutt.
Über Tage und in Herden lebten sie zur Sonnenzeit,
Doch zum Paaren schlichen sie in Höhlen, immer nur zu zweit.
Ihre Männchen hatten Hoden und ein bißchen mehr Gewicht,
Doch ansonsten unterschieden sie sich von den Weibchen nicht
In den guten alten Zeiten, in den guten alten Zeiten.

Damals wuchsen fette Pflanzen überall am Wegesrand,
Doch sie abzufressen galt als äußerst unfein in dem Land.
Man verzehrte Artgenossen, selbst das liebenswerte Schwein,
Doch die aufrecht gehen konnten, fraß man nicht, man grub sie ein.
Manchmal durfte man nicht töten, manchmal wieder mußte man.
Ganz Genaues weiß man nicht mehr, aber irgendwas ist dran.
Denn wer Tausende verbrannte, der bekam den Ehrensold,
Doch erschlug er einen einz'lnen, hat der Henker ihn geholt
In den guten alten Zeiten, in den guten alten Zeiten.

Wenn ein Kind ganz nackt und lachend unter einer Dusche stand,
Dann bekam es zur Bestrafung alle Haare abgebrannt.
Doch war's artig, hat's zum Beispiel einen Panzer gut gelenkt,
Dann bekam es zur Belohnung um den Hals ein Kreuz gehängt.
Man zerschlug ein Kind, wenn es die Füße vom Klavier zerbiß,
Doch man lachte, wenn's dem Nachbarkind ein Ohr vom Kopfe riß,
Blut'ge Löcher in den Köpfen zeigte man den Knaben gern,
Doch von jenem Loch der Löcher hielt man sie mit Hieben fern
In den guten alten Zeiten, in den guten alten Zeiten.

Alle glaubten an den unsichtbaren, gleichen Manitu,
Doch der Streit darüber, wie er aussah, ließ sie nicht in Ruh.
Jene malten ihn ganz weiß und andre schwarz oder gar rot,
Und von Zeit zu Zeit, da schlugen sie sich deshalb einfach tot.
Ob die Hand ganz rot von Blut war und die Weste schwarz von Dreck,
Das war gleich, wenn nur die Haut ganz weiß war, ohne jeden Fleck.
Und den Mischer zweier Farben federte und teerte man
Oder drohte ihm für nach dem Tode Feuerqualen an
In den guten alten Zeiten, in den guten alten Zeiten.

Und wer alt war, galt als weise, und wer dick war, galt als stark.
Und den fetten Greisen glaubte man aufs Wort und ohne Arg.
Und wenn Wolken sich am Abend färbten, freute man sich noch,
Und man fraß ganz ruhig weiter, wenn die Erde brandig roch.
Denn vom Himmel fiel noch Wasser, und die Sonne war noch weit,
Und der große Bär, der schlief noch, in der guten alten Zeit.
Und die Erde drehte sich nicht plötzlich rückwärts und im Kreis.
Doch man schafft rüstig, bis es dann gelang, wie jeder weiß.
Und da war Schluß mit jenen Zeiten, mit den guten alten Zeiten.

Und so hocken wir bei Neumond an der Zwischenkieferwand,
Wo im letzten Jahre noch das Pärchen Brennesseln stand.
Und wir lauschen dem Behaarten, der sein Instrument laut schlägt.
Und wir lauschen, lauschen, lauschen nächtelang und unbewegt.
Und wir träumen von den guten alten Zeiten und dem Land,
Wo man überall und jederzeit genug zu fressen fand.
Unsre Stammesmutter streichelt unser Jüngstes mit den Zehn,
Manchmal seufzt sie: »O ihr Brutgenossen, war das früher schön
In den guten alten Zeiten, in den guten alten Zeiten.«

Text und Melodie: Franz Josef Degenhardt

Der Hund

In Wien, wo die Stadt am ver-schwie-gen-sten
ist, sitzt oft der Herr Mai-er beim Wein, und um
zehn, wenn der Wein am ge-die-gen-sten
ist, kommt er lang-sam ins Re-den hin-ein.
Und dann sagt er: „Ich les in der Zei-tung
nur von Rü-stung und Kriegs-vor-be-rei-tung,
man will jetzt die Welt aus-ra-diern
und die Wie-ner-stadt a-to-mi-siern.
Al-so bitt-schön, ich will ja nichts sa-gen,
a-ber eins liegt mir sehr schwer im Ma-gen:

143

Wenn jetzt ein Krieg kommt, sag'ns was g'schieht dann mit mei'm

C .... **G**

Hund? Mein Hund ist g'wiß kein or - di - nä -

.... **A⁷**

rer Va - ga - bund. Und wenn die

d .... **C**

Ku - geln plötz-lich knalln und die Ra - ke - ten o - ba

.... **A⁷**

falln, was macht der Hund, ja Kru - zi - fix, wenn er auch

G .... **G**

bellt, das nutzt ihm nichts. Es könnt ja sein, der Ge - ne -

.... **C**

ral wird leicht ver - ruckt, so daß er

G .... **A**

ir - gend-wie aufs fal - sche Knop-ferl druckt, dann geht am

d .... **G** .... **C**

End die gan - ze Welt zu Grund. Das wä - re

G .... **C**

fürch - ter - lich, denn was macht dann mein Hund?

In Wien, wo die Stadt am verschwiegensten ist,
Sitzt oft der Herr Maier beim Wein,
Und um zehn, wenn der Wein am gediegensten ist,
Kommt er langsam ins Reden hinein.
Und dann sagt er: »Ich les in der Zeitung
Nur von Rüstung und Kriegsvorbereitung,
Man will jetzt die Welt ausradiern
Und die Wienerstadt atomisiern.
Also bittschön, ich will ja nichts sagen,
Aber eins liegt mir sehr schwer im Magen:
Wenn jetzt ein Krieg kommt, sag'ns was g'schieht dann mit mei'm Hund?
Mein Hund ist g'wiß kein ordinärer Vagabund.
Und wenn die Kugeln plötzlich knalln
Und die Raketen oba falln,
Was macht der Hund, ja Kruzifix,
Wenn er auch bellt, das nutzt ihm nichts.
Es könnt ja sein, der General wird leicht verruckt,
So daß er irgendwie aufs falsche Knopferl druckt,
Dann geht am Ende die ganze Welt zu Grund,
Das wäre fürchterlich, denn was macht dann mein Hund?

In China, wo jetzt die Chinesen regier'n,
Dort wünschen sich's d' Wienerstadt furt,
Das heißt nicht, daß dort nur die Bösen regier'n,
Aber die Guten san auch nicht sehr gut.
Ja und die Russen, die schrei'n zwar: Genossen!
Aber ich will mich auf die nicht verlossen,
Wenn Rußland und China zusamm' marschier'n
Kann Österreich kapituliern.
Also ich hab Kommunisten nicht sehr gern,
Aber ich würde mich trotzdem nicht ärgern,
Nur eines frag ich mich: Was g'schieht dann mit mei'm Hund?
Mein Hund frißt täglich dreißig Deka feinsten Schlund.
Wenn jetzt ein Russe neben mir sitzt,
Der auf das Hundefutter spitzt,
Und es ihm wegnimmt und es frißt,
Dann wird mein Hund kein Kommunist.
Am besten wär's, die Russen blei'm in Rußland stehn,
Und die Chinesen blei'm in China, dort ist's schön,
Denn so ein Krieg ist doch auf kaan Fall g'sund.
Mir kann's ja Wurst sein, aber sag'ns: was macht mein Hund?

Text und Melodie: Georg Kreisler

Wenn die Soldaten
(Neufassung)

Wenn die Soldaten durch die Stadt marschieren,
Schließen Demokraten Fenster und Türen.
Ei warum? Ei darum!
Ei, schon mal wegen dem *dschingderassa*
Dschingderassa bumm!

Wenn Demokraten dagegen protestieren,
Dann darf die Polizei ihnen die Fresse polieren.
Ei warum? Ei darum!
Ei, nur wegen dem *dschingderassa*
Dschingderassa bumm!

Wenn man mich fragt, ob mir denn nicht klar ist,
Wozu diese Bundeswehr denn eigentlich da ist,
Dann frag ich: Ei warum?
Dann sag ich: Ei warum?
Wohl nur wegen dem *dschingderassa*
Dschingderassa bumm!

Denn wenn es eines Tages dann wirklich zum Krieg kommt,
Dann ist heut schon klar, daß da keiner zum Sieg kommt.
Ei warum? Ei darum!
Da hilft ja kein *dschingderassa!*
Da macht es nur noch – – – *Bumm*

Text: Ekkes Frank
Melodie: Traditional

Für die »bundeswehr«freie Republik

Schon seit vielen Jahren
Gibt's die Bundeswehr
Und nun solln auch Frauen
In das Männerheer.
   Jetzt soll'n auch Frauen kämpfen
    Für Macht und Militär,
    Wir lassen uns nicht knechten,
    Wir setzen uns zur Wehr.

Die Frauen in unserem Staate
Hab'n nichts damit im Sinn,
Sie halten ihre Köpfe nicht
Für solchen Wahnsinn hin.
   Wir woll'n in Frieden leben
    Und nicht in Haß und Krieg,
    Wir wollen nicht zerstören
    Was uns noch übrigblieb.

Auch Männer soll'n sich weigern
Und für den Frieden stehn,
Nur so kann man zusammen
In dieser Welt besteh'n.
   Jetzt heißt es rasch sich wehren,
    Sonst ist es bald zu spät,
    Wir sind für die Abrüstung,
    Wenn's um Frieden geht.

Schon viele sind gezogen
In den blut'gen Krieg,
Die hat man all betrogen,
Sie glaubten jeder Lüg'.
  Sie kämpften nicht für die Freiheit
  Und nicht für Menschenglück,
  Sie gaben nur ihr Leben
  Und kehrten nie zurück.

Wir brauchen keine Herren,
Die über uns bestimm',
Wir geben unser Leben nicht
So einfach sinnlos hin.
  Wir brauchen keine Waffen
  Und auch kein Waffenheer,
  Das werden wir schon schaffen,
  Wir werden immer mehr.

Text: Gerda Heuer
Melodie: »In dem Kerker saßen (Die freie Republik)«
Aus einer Broschüre der HBV-Frauen Nordrhein-Westfalens

»Ein großer Denker hat einmal vor Jahren gesagt, die Frauen seien für jeden Krieg verantwortlich, denn ihre Aufgabe sei es, alles Unrecht, alle Gewalt zu verhindern. Dieser Ausspruch ist begründet in der Überzeugung, daß die Frauen ihrer Natur nach an dem Schutz und der Erhaltung des Lebens mehr als die Männer interessiert sind.
Die Frauen, die sich ihres tiefsten Wesens bewußt sind, sollten deshalb die Verwirklichung des Völkerbundgedankens erstreben. Der Krieg vernichtet das Leben, das zu schaffen Naturaufgabe der Frau ist. Millionen von Frauen tragen Kinder unter dem Herzen, bringen sie unter Schmerzen zur Welt, ziehen sie unter Sorgen und Opfern auf. Soll das alles nur sein, um sie in der Blüte der Jugend dem Tod zu weihen? Millionen von Frauen haben den Krieg als Sünde an der schaffenden, fruchtbaren Mütterlichkeit erkannt! Sie verlangen nach Mitteln, die eine friedliche Schlichtung von Streitigkeiten zwischen den Völkern ermöglichen und neue Wege für die nationale Selbstbehauptung weisen.«
(Alice Salomon)

»Im August 1981, einem Jahr des Herrn, verkündete ein anderer Herr den Befehl zum Bau von Neutronenbomben. Es war ein Tag, an dem viele Menschen in der Welt der Opfer jener beiden ersten Nuklearbomben gedachten, die auf Befehl eines ebensolchen anderen Herrn auf Menschen geworfen wurden. So wurde eine Totenklage zu einem Bombenjubiläum.

Theoretisch kann man auf zweierlei Weise sich um den Frieden bemühen, mit atomaren Bomben und ohne solche Bomben. Die Frage ist nur, welches die bessere Weise ist. Jesus hat die selig gepriesen, die den Frieden schaffen. Aber er hat leider vergessen zu sagen, ob er die mit Bomben oder die ohne Bomben meint. Da sind wir also aufs Raten angewiesen. Die Kirchen sagen: sowohl als auch. Man sieht, sie wissen auch nichts Genaues. Aber die maßgebenden Politiker wissen es genau. Sie sagen: die Methode ohne Bomben ist falsch, das ist überhaupt keine Methode. Das ist Spinnerei und Illusion. Das ist Utopie. Und die, die Frieden ohne Bomben vertreten, sind von Moskau ferngesteuert. Da habe ich mich geschämt, denn ich neigte auch dazu, so etwas zu denken. Aber nun möchte ich aufhören zu denken. Denn ich will doch nicht von Moskau ferngesteuert sein. Und wenn mir doch die schwarzen Gedanken kommen und ich an die Opfer der kommenden Bomben denke und mir die Tränen in die Augen treten wollen, dann dränge ich sie zurück, weil ich Angst habe, noch meine Tränen könnten von Moskau gesteuert sein.

Aber daß die Welt voller Bomben ist, soll uns ja beruhigen. Die Sprengkraft reicht aus, um hochgerechnet 100 Milliarden Menschen umzubringen. Die Frage ist nur, wo kriegen wir so viele Menschen her? Es ist ja inzwischen kein Mangel an Waffen mehr, die Menschheit zu vernichten. Es reicht vielmehr die Menschheit, die vernichtet werden könnte, nicht mehr für die Waffen aus. Statistisch gesprochen klafft die Schere zwischen aktivem und passivem Vernichtungspotential immer weiter auseinander.«

(Uta Ranke-Heinemann, aus der Rede bei der Friedensdemonstration in Bonn am 10. 10. 1981)

Phantasie von übermorgen

Da - da - da - da   da - da

da - da - da - da, di - di - da,   da - da - da -

da   da - da,   da - da

1. Und   als   der   näch - ste   Krieg   be - gann,   sag -

ten   die   Frau - en: Nein!   Und   schlos - sen

Bru - der,   Sohn   und   Mann   fest   in   die   Woh - nung

ein.   2. Dann   zo - gen   sie,   in   je - dem   Land,   wohl

vor   des   Hauptmanns   Haus   und   hiel - ten   Stök - ke

in   der   Hand   und   hol - ten   die   Ker - le   heraus.

3. Sie   leg - ten   je - den   ü - bers   Knie,   der

die - sen Krieg be - fahl: Die Her - ren der
Bank und In - du - strie, den Mi - ni - ster,
den Ge - ne - ral.   4. wie 1.

5. ... die Män - ner starr - ten zum Fen - ster hin -
aus und sa - hen die Frau - en nicht an
Und die Frau - en sag - ten: Nein!

Und als der nächste Krieg begann,
Sagten die Frauen: Nein!
Und schlossen Bruder, Sohn und Mann
Fest in der Wohnung ein.

Dann zogen sie, in jedem Land,
Wohl vor des Hauptmanns Haus
Und hielten Stöcke in der Hand
Und holten die Kerls heraus.

Sie legten jeden übers Knie,
Der diesen Krieg befahl:
Die Herren der Bank und Industrie,
Den Minister und General.

Da brach so mancher Stock entzwei.
Und manches Großmaul schwieg.
In allen Ländern gab's Geschrei,
Und nirgends gab es Krieg.

Die Frauen gingen dann nach Haus,
Zum Bruder, Sohn und Mann,
Und sagten ihnen, der Krieg sei aus!
Die Männer starrten zum Fenster hinaus
Und sahen die Frauen nicht an . . .

Text: Erich Kästner
Melodie: Lutz Weißenstein

Dunkle Wolken

A   Dunkle Wolken stehn am Himmel,
     Hüllen uns mit Sorge ein,
     Doch die Zukunft für uns alle
     Soll doch wohl kein Horror sein.

A   Immer mehr nach rechts gedriftet,
     Nur noch liberal zum Schein,
     Wird der Staat jetzt umgebügelt
     Von dem Horrorparlamentsverein.

A   Horror jeden Tag aufs neue,
     Im Leben fängt der Horror an.
     Mancher möchte gern was lernen – doch:
     Nehme jede Stellung an.

     B   Macht es gut und macht es besser,
        Später dann im U-Bahn-Schacht
        Heißt es dann Auf Wiedersehn,
        Kommt gut nach Haus
        Und gute Nacht.

A   Laßt euch nicht den Mumm abkaufen,
     Manche machen sie schon ein,
     Ach, schon früh fängt an zu flattern,
     Was ein Fähnchen möchte sein.

A   Laßt das Leben uns gestalten,
     So, daß nicht die Welt verbrennt,
     Nur durch Frieden wird am Ende
     Daraus hier kein Horror-land.

     B   Macht es gut und macht es besser . . .

Text und Melodie: Raphael & Mumm

Ermutigung

Du, laß dich nicht ver-här-ten in die-ser har-ten Zeit. Die all--zu hart sind, bre-chen, die all-zu-spitz sind ste-chen und bre-chen ab so-gleich, und bre-chen ab so-gleich. *(Gitarre)*

Du, laß dich nicht verhärten
In dieser harten Zeit.
Die allzuhart sind, brechen,
Die allzuspitz sind, stechen
Und brechen ab sogleich,
Und brechen ab sogleich.

Du, laß dich nicht verbittern
In dieser bittren Zeit.
Die Herrschenden erzittern
– Sitzt du erst hinter Gittern –
Doch nicht vor deinem Leid,
Doch nicht vor deinem Leid.

Du, laß dich nicht erschrecken,
In dieser Schreckenszeit,
Das woll'n sie doch bezwecken,
Daß wir die Waffen strecken
Schon vor dem großen Streit,
Schon vor dem großen Streit.

Du, laß dich nicht verbrauchen,
Gebrauche deine Zeit,
Du kannst nicht untertauchen,
Du brauchst uns, und wir brauchen
Grad deine Heiterkeit,
Grad deine Heiterkeit.

Wir wolln es nicht verschweigen
In dieser Schweigenszeit,
Das Grün bricht aus den Zweigen,
Wir wolln das allen zeigen,
Dann wissen sie Bescheid,
Dann wissen sie Bescheid.

Text und Melodie:
Wolf Biermann

154

Quellenverzeichnis

Richard Barkeley (Textauszug)
Die deutsche Friedensbewegung 1870–1933 © Verlag Ullstein GmbH, Berlin
Auf, auf zum Kampf/Zieht der Deutsche in den Krieg
Text: anonym, aus: Das deutsche Soldatenlied, wie es heute gesungen wird. Auswahl von Klabund. München o.J.
Frankfurter Volksstimme vom 18. Aug. 1914
aus: Richard Barkeley, Die deutsche Friedensbewegung 1870–1933
Gesang der Intellektuellen
Text: Erich Mühsam © Verlag Volk und Welt, Berlin-Ost 1978
Josef Weisbart (Textauszug)
Die Forderung der Stunde: Den Giftkrieg verhindern! Broschüre 1929
Der Revoluzzer
Text: Erich Mühsam © Verlag Volk und Welt, Berlin 1978
Melodie: Bela Reinitz © der Bearbeitung: Joe Mateiko
Die Ballade des Vergessens
Text: Klabund, aus: Der himmlische Vagant, von Klabund © 1968/78 by Verlag Kiepenheuer & Witsch, Köln
Melodie: Hanns Eisler © VEB Deutscher Verlag für Musik, Leipzig
Denkschrift
des Bundes Neues Vaterland an den 9. Pazifisten-Kongreß zu Braunschweig, 1920,
aus: Richard Barkeley, Die deutsche Friedensbewegung 1870–1933
Brüder, seht die rote Fahne
Text: Edwin Hoernle, aus: Wir singen, Verlag Schaffende Jugend, Frankfurt 1957
Poeta Laureatus
Text: Erich Mühsam © Verlag Volk und Welt, Berlin-Ost 1978
Melodie: Jürgen Knieper/tribühne Berlin, Arrangement: Lipping © beim Autor
Ärzte-Resolution
Text: Sigmund Freud, aus: Karl Heinz Spalt, Der weite Weg. Ein Handbuch über den Pazifismus, Aachen 1946
Gesang der Arbeiter
Text: Erich Mühsam © Verlag Volk und Welt, Berlin-Ost 1978
Guy de Maupassant
aus: Karl Heinz Spalt, Der weite Weg. Ein Handbuch über den Pazifismus, Aachen 1946
Trutzlied
Text: Erich Mühsam © Verlag Volk und Welt, Berlin-Ost 1978
Melodie: Lutz Weißenstein © beim Autor
Wiegenlied
Text: Erich Mühsam © Verlag Volk und Welt, Berlin-Ost 1978
Melodie: Dieter Lohff © beim Autor
Der Graben
Text: Kurt Tucholsky, aus: Kurt Tucholsky, Gesammelte Werke © 1969 by Rowohlt Verlag GmbH, Reinbek b. Hamburg

Melodie: Hanns Eisler © VEB Deutscher Verlag für Musik, Leipzig
Bertha von Suttner (Textauszug)
Welt ohne Krieg. Ein Lese- und Volksbuch für junge Europäer, Düsseldorf 1948
Albert Einstein (Textauszug)
Karl Heinz Spalt, Der weite Weg. Ein Handbuch über den Pazifismus, Aachen 1946
Gaslied
Text und Melodie: Agitprop-Truppe »Rote Raketen« 1929
Nie, nie woll'n wir Waffen tragen
Text und Melodie: Kees Boeke, deutsche Fassung durch allgemeinen Gebrauch verändert
Soldatenlied
Text: Erich Mühsam © Verlag Volk und Welt, Berlin-Ost 1978
Die Kriegsbraut
Text: Klabund, aus: Der himmlische Vagant, von Klabund © 1968/78 by Verlag Kiepenheuer & Witsch Köln
Deutsches Lied
Text: Kurt Tucholsky, aus: Kurt Tucholsky, Gesammelte Werke © 1960 by Rowohlt Verlag GmbH, Reinbek b. Hamburg
Melodie: Dietrich Lohff © beim Autor
Wo waren Sie im Kriege, Herr-?
Text: Kurt Tucholsky, Gesammelte Werke © 1960 by Rowohlt Verlag GmbH, Reinbek b. Hamburg
Die andere Möglichkeit
Text: Erich Kästner, aus: Erich Kästner, Gesammelte Schriften, Bd. 1, Gedichte © Atrium Verlag, Zürich
Melodie: Dietrich Lohff © beim Autor
Die bange Nacht
Text anonym, als Parodie auf Georg Herweghs »Reiterlied« (1941 in der illegalen Schrift »Das neue Soldaten-Liederbuch, Textbuch mit Melodien« abgedruckt)
Melodie: J. W. Lyra (1822–1882)
Genauso hat es damals angefangen
Text: Erich Weinert, aus: Erich Weinert, Gesammelte Gedichte, Band 6 © Aufbau-Verlag Berlin und Weimar 1976
Melodie: Jürgen Knieper/Lipping © beim Autor
Erich Kästner (Textauszug)
Streiflichter aus Nürnberg, aus: Erich Kästner, Kästner für Erwachsene © Atrium Verlag, Zürich
Lilli Marleen
Text: anonym, aus: Lieder gegen die Bombe 1, Bochum o.J.
Erich Fried (Textauszug)
Warum ich nicht in der Bundesrepublik lebe © Verlag Klaus Wagenbach, Berlin
Die Maulwürfe
Text: Erich Kästner, aus: Erich Kästner, Kästner für Erwachsene © Atrium Verlag, Zürich
Lustig ist Soldatenleben
Text: Liselotte Rauner © bei der Autorin
Melodie: Frank Baier © beim Autor
Soldat, Soldat
Text und Melodie: Wolf Biermann, aus: Nachlaß 1, von Wolf Biermann © 1977 by Verlag Kiepenheuer & Witsch, Köln

Ostermarsch 1967
Text und Melodie: Joe Mateiko © Ilse Mateiko, Offenbach
Luftschutz-Lied
Text: Gerd Semmer © Else Semmer, Ratingen
Melodie: Dieter Süverkrüp © beim Autor
Bunker-Ballade
Text: Gerd Semmer © Else Semmer, Ratingen
Melodie: Dieter Süverkrüp © beim Autor
Hundert Mann – gebt ihr Befehl
Text: Hannes Stütz © beim Autor
Lagerlied
Text und Melodie: Dieter Süverkrüp © beim Autor
An alle schon jetzt – oder demnächst – enttäuschten SPD-Wähler; nach der Verabschiedung der Notstandsgesetze zu singen
Text und Melodie: Dieter Süverkrüp © beim Autor
Lied vom sogenannten Frieden
Text: Hans Dieter Hüsch © damokles-Verlag, Ahrensburg
Der Inkurable
Text: Walter Hedemann © Voggenreiter Verlag, Bonn 2
Kölner Stadtanzeiger
Nr. 248/3 vom 24./25. August 1981
Veronika
Text: Seminar AG Song/Ruth Eichhorn © bei der Autorin
Lied vom letzten Dienstag
Text: Olaf Cless © beim Autor
Melodie: Karl Adamek © beim Autor
Lied gegen die Neutronenbombe
Text: anonym © Asso Verlag, Oberhausen
Kriegsvoyeure
Text: Helmut Ruge, aus: Zwischen Wut + Sehnsucht © Verlag PLAKATERIE GmbH, Nürnberg 1981
Aufstehn
Text: Hans Sanders, deutsche Fassung: Lerryn, G. Wallraff
Melodie: Hans Sanders
Entrüstung
Text: G. Wallraff, D. Hildebrandt, H. D. Hüsch, Lerryn
Melodie: Hans Sanders
Das weiche Wasser
Text: G. Wallraff, D. Hildebrandt, H. D. Hüsch, Lerryn
Melodie: Hans Sanders
Dieses und die zwei vorgenannten Lieder erschienen auf den MUSIKANT-LPs »Aufstehn« und »Entrüstung« der Gruppe »bots« © bei den Autoren/Kulturladen Frankfurt
Der Traum vom Frieden
Original-Text und Melodie: Ed McCurdy, deutsche Fassung: Hannes Wader © für Deutschland, Österreich und Schweiz Essex Musikvertrieb GmbH, Köln
Ansprache an meinen Sohn
Text und Melodie: Knut Kiesewetter © 1973 by Peer Musikverlag GmbH, Hamburg
Die Kantate »de minoribus«
Text: Erich Kästner, aus: Kästner für Erwachsene © Atrium Verlag, Zürich

Alphabetisches Verzeichnis der Lied- und Gedichtanfänge